LES CONQUÉRANTS

ANDRÉ MALRAUX

LES
CONQUÉRANTS

PARIS
BERNARD GRASSET
61, RUE DES SAINTS PÈRES

A la mémoire
de mon ami RENÉ LATOUCHE.

PREMIÈRE PARTIE

————

LES APPROCHES

ANDRÉ MALRAUX

Les
Conquérants

ROMAN

GRASSET

25 Juin.

« La grève générale est décrétée à Canton. »

Depuis hier, ce radio est affiché, souligné en rouge.

Jusqu'à l'horizon, l'Océan Indien immobile, glacé, laqué, — sans sillages. Le ciel plein de nuages informes fait peser sur nous une atmosphère de cabine de bains, nous entoure d'air dense et saturé d'eau chaude. Et les passagers marchent, à pas comptés, sur le pont, se gardant bien de s'éloigner trop du cadre blanc dans lequel vont être fixés dans quelques minutes les radios reçus cette nuit. Chaque jour, les nouvelles précisent le drame qui commence ; il prend corps ; maintenant, menace directe, il hante tous les hommes du paquebot. Jusqu'ici, l'hostilité du Gouvernement de Canton s'était manifestée par des paroles : voici que, tout-à-coup, les télégrammes traduisent des actes. Ce qui touche chacun, ce sont moins les émeutes, les grèves et les combats des rues, que la volonté inattendue, et qui semble tenace comme la volonté anglaise, de ne plus se payer de mots, d'atteindre l'Angleterre dans ce qui lui tient le plus au cœur : sa richesse, son prestige.

L'interdiction de vendre dans les provinces sou-
mises au Gouvernement Cantonais toute marchandise d'origine anglaise,¹ même si elle est proposée
par un Chinois ; la méthode avec laquelle les mar-
chés sont maintenant, l'un après l'autre, contrôlés ;
le sabotage des machines par les ouvriers de Hongkong ; enfin, cette grève générale qui, d'un coup,
atteint le commerce entier de l'île anglaise, tandis
que les correspondants des journaux signalent
l'activité exceptionnelle des écoles militaires de
Canton, tout cela met les passagers en face d'une
guerre d'un mode tout nouveau, mais d'une guerre,
entreprise par la puissance anarchique de la Chine
du Sud, secondée par des collaborateurs dont ils
ne savent presque rien, contre le symbole même
de la domination britannique en Asie, le rocher
militaire d'où l'empire fortifié surveille ses trou-
peaux : Hongkong.

Hongkong. L'île est là sur la carte, noire et
nette, fermant comme un verrou cette Rivière des
Perles sur laquelle s'étend la masse grise de Canton,
avec ses pointillés qui indiquent des faubourgs
incertains, à quelques heures à peine des canons
anglais. Des passagers, chaque jour, regardent sa
petite tache noire comme s'ils en attendaient quelque révélation, inquiets d'abord, angoissés maintenant, et anxieux de deviner quelle sera la défense
de ce lieu dont dépend leur vie — le plus riche rocher
du monde.

S'il est atteint, ramené, plus ou moins tôt, au
rang de petit port, si, plus simplement encore, il
s'affaiblit, c'est que la Chine peut trouver les
cadres qui, jusqu'ici, lui ont toujours manqué

pour lutter contre les blancs, et la domination
européenne va s'écrouler. Les marchands de coton
ou de cheveux avec qui je voyage sentent cela
d'une façon aiguë, et rien n'est plus singulier que
de lire sur leurs visages angoissés (mais que va
devenir la Maison ?) la répercussion de la lutte
formidable entreprise par l'empire même du
désordre, organisé tout-à-coup, contre le peuple
qui représente, plus qu'aucun autre, la volonté,
la ténacité, la force.

Un grand mouvement sur le pont. Les passagers s'empressent, se poussent, se serrent les uns
contre les autres : voici la feuille des radios.

Angleterre, Belgique, Etats-Unis, passons...
Suisse, Allemagne, Tchéco-Slovaquie, Autriche, passons, passons. — *Russie,* voyons. Non, rien d'intéressant. *Chine,* ah !

Le Président de la République...

Passons.

Moukden : Tchang-Tso-Lin...

Passons.

Canton.

Le radio est long. Les passagers les plus éloignés,
pour s'approcher, nous serrent contre la paroi.

*Les cadets de l'école militaire de Whampoa, com-
mandés par des officiers russes et formant l'arrière-
garde d'une immense procession d'étudiants et d'ouvriers, ont ouvert le feu sur Shameen* [1]. *Les matelots
européens chargés de protéger les ponts ont riposté
avec des mitrailleuses. Les cadets poussés par les
officiers russes se sont élancés plusieurs fois à l'as-*

1. Concession européenne de Canton.

saut des ponts. Ils ont été repoussés avec de grosses pertes.

Les femmes et les enfants des Européens de Shameen vont être évacués sur Hongkong, si possible, par des bateaux américains. Le départ des troupes anglaises est imminent.

D'un coup, le silence tombe.

C'est fini. Pas un mot. Les passagers s'écartent les uns des autres, consternés. A droite, cependant, deux Français se joignent : « Enfin, Monsieur, on se demande vraîment quand les Gouvernements vont se décider à prendre l'attitude énergique qui... » et se dirigent vers le bar, perdant la fin de leur phrase dans les saccades assourdies des machines.

Demain, Singapour. Nous ne serons pas à Hongkong avant dix jours...

5 heures

Par exception, de nouveaux radios sont affichés :

Shameen. — L'électricité ne fonctionne plus. La concession tout entière est dans la nuit. Les ponts ont été fortifiés à la hâte et coupés par des lignes de fils de fer barbelés. Ils sont éclairés par les projecteurs des canonnières.

26 Juin.
Singapour, 7 heures du matin.

Longue attente ; visa des passeports. Derrière les docks, une trentaine d'autos de louage, rangées, nous attendent. Les journaux : *Straits Times*, *Malayan Gazette*, brandis par des enfants malais bientôt entourés, sont à l'instant déployés d'un geste hâtif qui les fait claquer ; des feuilles tombent, aussitôt ramassées ; les passagers trop éloignés regardent par dessus l'épaule de leurs amis plus heureux. Peines perdues... Ce sont des journaux du soir, et ils publient les radios que nous avons reçus en mer hier.

Dans la première auto venue, je file vers la ville à travers une banlieue asiatique désolée, où une route de macadam tourne largement autour d'une pagode à cornes couverte de panneaux de publicité. Le pont franchi, je découvre à gauche la ville chinoise verte et bleue, et l'arroyo avec ses sampans serrés comme des bêtes ; à droite, la ville anglaise : banques, compagnies de navigation, énormes immeubles de béton armé abritant cent bureaux ; au-dessus, sur les collines entourées de gazons verts, des villas. Ici, la force anglaise est intacte et presque aussi visible qu'à Londres, certifiée par ces bastions de commerce, et, là-haut, par les canons de l'Arsenal.

Voici le port des jonques, et l'hôtel Raffles avec son jardin correct, pauvret, ses aréquiers de Jardin d'Acclimatation, son portier sikh et ses boys chinois ; on y boit des citronnades au goût de pamplemousse, les meilleures d'Asie. Peut-être aurai-je ici des nouvelles ?

Il y a foule au bar. Seul à une table, au centre, en costume de toile écrue, un gros homme dont je crois connaître la bouche : molle, aux lèvres gonflées et un peu avançantes, mais sinueuse,

faite à la fois pour sucer et pour conter... Oui :
c'est un ancien collectionneur russe qui depuis
deux ans voyage, aux frais du musée de Bos-
ton, pour recueillir des documents d'art asiatique :
Rensky.

Il est assis auprès du grand rectangle de drap
de billard sur lequel les radios sont fixés par des
punaises. (Un boy chinois vient les afficher dès
qu'ils sont transmis et en porte nonchalamment
des copies à diverses personnes qui lui donnent
quelque monnaie, comme les jours de grands
matches). Je vais à lui. Après des effusions russes,
il me dit, montrant cinq petits éléphants d'ébène
qu'il vient d'acheter à un indien et qu'il a déposés
sur la table en tuyaux d'orgue :

— Comme vous le voyez, cher ami (je l'ai vu
cinq fois peut-être...) j'achète des petits éléphants.
Lorsque nous entreprendrons des fouilles, je les
mettrai dans les tombeaux que nous refermerons.
Cinquante ans plus tard, ceux qui ouvriront de
nouveau les cercueils les trouveront au fond, dû-
ment patinés et rongés, et seront intrigués... J'aime
à intriguer ceux qui viendront après moi : sur
l'une des tours d'Angkor-Wat, cher ami, j'ai gravé
une inscription en langue sanscrite extrêmement
obscène ; salie avec soin, elle semble très ancienne.
Finot la déchiffrera. Il faut scandaliser les hommes
austères, un petit peu... »

Je l'écoute à demi ; assis en face de lui, je lis
par-dessus son épaule :

*Hongkong. — La gravité de la situation est
exceptionnelle. En raison de l'envoi possible d'un
corps expéditionnaire anglais de Hongkong à Can-*

*ton, les Chinois viennent de faire commencer la grève
ici. Il y a plus de* 50.000 *grévistes.*

— Vous voulez calomnier les dieux, Rensky ?

— Il faut se distraire... Ah ! cher, qu'il y a peu
de distractions pour des hommes comme moi...
Un médium m'a enseigné ceci : les esprits des morts,
que la nuit prive du spectacle des vivants, s'ennuient
à tel point que leur seul plaisir est de faire au clair
de lune, avec le duvet des oreillers (dans lesquels
ils se réfugient la nuit, comme vous le savez) des
motifs semblables à ceux que les coiffeurs font
avec les cheveux. Et c'est vrai, cher ami, très
vrai ! Ouvrez doucement votre oreiller, le matin,
vous y trouverez nombre de petits tableaux de
plumes : points d'interrogation, crosses, aigrettes,
oiseaux... J'ai disposé moi-même des plumes, pour
intriguer les esprits, ce qui est plus inquiétant que
d'intriguer les savants, beaucoup plus. Mais je ne
peux pas passer ma vie à cela... Alors, voilà, cher
ami, je suis comme les esprits, mais ma nuit est
plus longue que la leur : elle ne cesse guère...

— Vous êtes triste, Rensky ?

— Je ne sais pas... J'ai besoin de l'ironie et
de l'amour : il est grand temps que je retrouve
l'Europe où se sont réfugiés l'un et l'autre...

Le boy apporte une nouvelle feuille :

*Hongkong. — La grève gagne les compagnies
de navigation fluviale et côtière. Tous les bateaux
de la* Butterfield *et de la* Hongkong Canton Macao
Steamboat Company *sont abandonnés par les équi-
pages chinois.*

— Vous n'aimez pas la Chine ?

— J'aime ses dieux nouveaux, peut-être : le

miroir, l'électricité et le phonographe, dieu à
trompe. Les phonographes sont des bêtes, vous ne
l'ignorez pas... Un pavillon vert clair qui se glisse,
curieux, derrière l'autel des ancêtres, suggère des
pensées bizarres. Il faudra répandre l'idée que les
phonographes sont des génies qui tourmentent les
morts... Dans le Nord, elle fera certainement son
petit chemin... Regardez le plan de Singapour,
contre la colonne, à votre droite. Vous voyez le
bleu de la mer, qui se dégrade de bas en haut ?
En Chine, le temps se dégrade de cette façon :
au Nord il n'y a pas de temps, la carte est
blanche. Et c'est une belle chose, mon cher ami,
que l'indifférence avec laquelle le vieil empire, là-
haut, regarde remonter de l'histoire (comme un
noyé, ma foi) cette antiquité sanglante et son
collier de canons, nouveaux fétiches. Il joue, cela
lui suffit. Avez-vous remarqué qu'il a mis le monde
tout entier dans ses dominos ? Chiffres, fleurs, et
au-dessus, dignes de considération l'un et l'autre,
le bonheur et le vent... »

Voici de nouveau le boy.

*Hongkong. — L'Angleterre répond à l'ordre chinois
de grève générale par l'interdiction d'exporter le riz.*

*La sortie de Hongkong de TOUS les riz chinois
entreposés est interdite. L'exaspération des Chinois
est à son comble.*

Cette fois, Rensky a suivi la direction de mon
regard :

— Oui, le vrai jeu, le Jeu avec un J majuscule,
c'est dans le Sud qu'il faut le chercher, dans le
Sud qui correspond au bleu foncé de la carte parce
que le temps y a marché un peu trop vite. Il faut

voir, d'abord, les préliminaires, la bouffonnerie confortable et sensuelle qu'est l'américanisation de la Chine... A Canton, à la place des vieilles pagodes rasées, vous trouvez des hôtels californiens et des grands magasins à treize étages — et ces immeubles effarants qui sont : au rez-de-chaussée, cinéma ; au premier, théâtre ; au second « distractions » : appareils automatiques, jeux de boules, équilibristes, gladiateurs, danseurs ; au troisième, fumerie ; au quatrième, thé ; au cinquième, maison de prostitution distinguée ; au sixième, bureaux. Plus haut, les appartements des courtisanes, des bureaux encore. Sur le toit, un jardin et un restaurant sino-européen. Quatre...

— Admirable nomenclature ! Vous la savez par cœur.

— Voilà ce que je fais de mon cœur en Asie !.. Mais j'allais dire : quatre ascenseurs, ce dont vous m'avez empêché, montrant ainsi une âme peu tourmentée par la curiosité.

— J'attends la suite de vos ascenseurs avec une visible impatience.

— La suite de mes ascenseurs, c'est la Révolution. Vous savez que les fonds qui permettent au Gouvernement cantonais d'exister, sont surtout envoyés par les pauvres. Mais beaucoup de riches marchands, eux aussi, envoient de l'argent aux révolutionnaires, en l'espèce au Kuo-Ming-Tang. Le gros Chinois qui est seul à la table à côté du bar, celui à qui le boy apporte d'abord les radios, oui, c'est Koo-Tcheng, le président du parti, ici...

(Je le reconnais, en effet : j'ai sa photo dans ma poche).

« Il possède quelques millions de dollars. Mais il mise sur la Révolution « gagnante ou placée » et, depuis quelques jours, sur la guerre...

— Le jeu est peut-être en train de devenir dangereux.

— Pensez-vous ! A Hongkong, vous pourrez voir, dans une rue provinciale et charmante, des maisons aux volets clos entourées de grands jardins...

Nouveau radio :

Harbin. — Les directeurs bolcheviks du chemin de fer de l'Est chinois ont ordonné à leurs subordonnés de participer aux versements à la caisse de secours des grévistes de Hongkong. Cet exemple serait prochainement suivi dans toute la Sibérie Orientale.

Hongkong. — Toutes les banques sont fermées.

« ... Ce ne sont pas des pensionnats, mon Dieu non ; ce sont les maisons où les chefs chinois envoyaient leurs nombreuses femmes, lorsque leur repos n'était plus assuré en Chine autant qu'ils le souhaitaient. Les épouses, favorites ou concubines de certains chefs révolutionnaires, n'étaient séparées que par un mur de celles de leurs ennemis. Aussi se rendaient-elles parfois visite. Lorsque la Fortune favorisait les généraux, Messieurs les Dictateurs chassés les uns après les autres se rencontraient dans la petite rue. Sun-Yat-Sen y passa, et y retrouva sans doute ses souvenirs de collège...

— Temps révolus.

— Sait-on jamais ?

— Parfois, Rensky, on peut savoir. On peut savoir, par exemple, que le geste par lequel le Gouvernement Cantonais ose attaquer l'Angleterre n'est pas du domaine...

— De la fantaisie ?

— Charmante d'ailleurs, dans lequel vous venez de vous promener.

Il se tait. Puis il répond, tristement :

— La Chine est le pays où tout est possible. Attaquer l'Angleterre ! Depuis la révolution de 1911, le Kuomintang rayonne sur la Chine et se reforme à Canton, de défaite en défaite ou de victoire en victoire, comme le protestantisme naissant se reformait à Genève... Voilà quatorze ans qu'ils essaient d'élever leur République, en mêlant bien curieusement la bêtise et la grandeur... Le vrai changement date de la mort de Sun, de l'importance prise, dans le parti et dans le gouvernement, par les Comités que dirigent les bolcheviks. Les bolcheviks... Un homme comme Garine est cependant loin d'être un vrai bolchevik...

— En quoi ?

— Comprenez-moi bien, cher ami. Si, par bolchevik, vous entendez : révolutionnaire, Garine est un bolchevik sans doute ; mais si vous entendez par là, comme moi, une catégorie particulière de révolutionnaires qui, parmi beaucoup de caractéristiques ont celle d'avoir foi dans le marxisme, à mon avis, il ne l'est pas. A mon avis... car je parle là de choses que je connais, en somme, fort mal. Et d'ailleurs, qui connaît Garine, qui connaît Borodine ? Borodine s'appelle Braun-je-ne-sais-

quoi ; c'est un juif letton. Et Garine n'est pas plus
russe que lui. Son père était Suisse, et il a fait
presque toutes ses études en France. Je n'en sais
pas plus. (C'est étrange, cette méconnaissance où
nous sommes des hommes qui sont tout occupés
à dresser la Chine contre nous, de leur doctrine
réelle, de leur caractère...) A propos, si ces gens-là
vous intéressent, il y a un personnage dont on
commence à parler et qui me semble très curieux,
très curieux : c'est un jeune Chinois du nom de
Hong, l'un des chefs des terroristes. Vous avez
entendu parler de lui ?

— Pas encore.

— C'est dommage. Je me souviens mal de ce
qu'on m'en a conté, mais c'était fort intéressant...
Ah ! nous nous amuserons bien lorsque nos chers
bolcheviks auront sur le dos les divers terroristes
qu'ils sont en train d'instruire... »

Avec des glaces au lait de coco, le boy apporte
les dernières dépêches émises par Hongkong : *Les
postes de Shameen ne fonctionnent plus. Les fils du
téléphone ont été coupés.*

                                        5 *heures.*

Nous allons partir dans quelques minutes. Les
enfants qui vendent les journaux — enfin ! —
gravissent la passerelle avec précipitation, apportant les journaux encore humides qui leur sont
aussitôt achetés. Voici :

Canton. — Les vapeurs anglais ancrés en rade ont été réquisitionnés. Par ordre supérieur, les femmes et les enfants qui étaient restés ont été embarqués à destination de Hongkong. Shameen n'est plus qu'un camp.

Voilà qui fera marcher le commerce anglais.

L'envoi de troupes indiennes et anglaises à Canton est imminent.

Quelle erreur ! Mais voyons Hongkong :

Hongkong. — Tout commerce est suspendu.

Les domestiques chinois abandonnent leur service dans les maisons particulières, les hôtels et les hôpitaux.

SOUS TOUTES RÉSERVES : la grève des employés des grands paquebots sera déclarée cette après-midi.

L'un des garçons du bar parcourt le pont et agite la cloche du départ. Les changeurs de monnaie indiens quittent le navire, faisant sonner des piécettes dans leurs sacoches ; à l'extrémité de la passerelle, les marchands japonais commencent à proposer en criant leurs marchandises : fauteuils de rotin, savons, cravates, parfumerie. Les Malais, qui vendent des fruits, regagnent la terre, maladroits, avec de lourds cabas pleins de mangues jaunes, de mangoustans violets, de kakis semblables aux tomates, de grosses oranges vertes, et hérissés de feuilles d'ananas en plumeaux.

L'agitation cesse. Une rumeur profonde, assourdie, rythmée, secoue le paquebot : les machines. Rensky prend rapidement congé. Il est temps : dès qu'il l'a quittée, la passerelle est levée.

La nuit tombe ; à peine distinguons-nous, lorsque nous le longeons, un paysage de mer intérieure : les îlôts du détroit surmontés de leurs arbustes chinois. Et bientôt nous ne voyons plus que les phares.

J'écris à la terrasse du bar. Fraîcheur de la mer retrouvée... Toute la Chine américanisée que Rensky décrivait tout à l'heure plonge dans le passé avec ces îlots silencieux aux formes indistinctes ; une autre Chine naît, hésitante, maladroite, soumise à une âme informe et tourmentée. Monuments, noms, paysages, tout à Singapour est remplacé par le bloc de la ville, qui donne un conseil aussi clair que ceux que donne ailleurs le passé, et n'en donne qu'un seul : enrichissez-vous, soyez forts. On ne saurait rêver aussi parfait champ de bataille : toutes les énergies anglaises et chinoises à la chasse de l'argent, et au-dessous, amorphe, active cependant, la masse révolutionnaire, fleuve souterrain. Cela est à peine visible dans cette grande cité d'affaires, dominée par le constant appel des sirènes des grands paquebots. Les vieilles maisons hollandaises à pignons, les maisons anglaises de l'époque victorienne, les buildings carrés semblent plantés comme des pieux dans cette terre rouge et tiède ; mais à l'envers du décor européen comme du décor sino-malais des maisons peintes je vois l'autre ville, dont toute l'action se concentre dans des hôtels indigènes hantés des cancrelats et dans de modestes bureaux chinois : comité révolutionnaire de l'île, comité du sultanat de Johore, comité des États malais, délégation des comités de Kuala-Lumpur, de Malacca, de Bangkok, de Batavia, de Sourabaya, de Sumatra, de Bornéo... union syndicale des tireurs de pousses, des boys de restaurants, des domestiques (pas un seul européen sans domestique) des travailleurs du port, toutes rattachées au Kuomingtang de la ville... Tout cela est immobile encore, comme endormi. Pas de révoltes. Mais, chaque jour, dollars, billets et chèques quittent Singapour à destination de Canton, tandis que les vieux et gras secrétaires des organisations révolutionnaires, nus jusqu'à la ceinture et les mains sur le ventre, s'endorment, béats, sous les yeux des policiers qui les surveillent, dans la chaleur équatoriale et le ronronnement des ventilateurs...

5 heures.

Hongkong. — *Le départ du Gouverneur est différé.*
Le régime de la censure des lettres et des journaux est institué.

Shanghaï. — *Les troubles gagnent toutes les provinces du Sud. Des consuls étrangers ont été lapidés.*

Hongkong. — *L'amiral Frochot, commandant les forces navales françaises en Extrême-Orient, est parti hier à midi à destination de Canton.*

De nouveaux attentats ont été commis par les terroristes.

Les volontaires anglais sont mobilisés.

La fête que l'on préparait n'aura pas lieu. Constante, pénétrante, l'inquiétude est à bord du paquebot, invincible et enveloppante comme la chaleur. Les garçons s'esquivent afin de s'épargner les récriminations qu'appellent aujourd'hui le moindre retard, la moindre faute. Les femmes et les hommes seuls se rapprochent. Les propos de l'officier télégraphiste sont commentés par tous avec irritation, bien que nul n'ignore leur médiocrité. Jeunes et vieux, les hommes font le tour du paquebot, marchant rapidement comme s'ils cherchaient la fatigue ; pendant les heures chaudes, ils dorment, allongés dans leurs chaises longues, réveillés en sursaut par le plus léger bruit, la bouche amère, hargneux...

10 *heures.*

Hongkong. — Plus de vingt paquebots sont en panne dans le port. Il est question de proclamer l'état de siège.

Dans six jours...

*introduction d Gance
to leader*

29 Juin,
Saïgon.

Ville désolée, déserte, provinciale, aux longues avenues et aux boulevards droits où l'herbe

pousse sous de vastes arbres tropicaux... La
course est longue. Enfin, nous arrivons dans
un quartier chinois, plein d'enseignes dorées
à beaux caractères noirs, de petites banques,
d'agences de toutes sortes. Devant moi, au milieu
d'une large avenue couverte d'herbe, folâtre un
petit chemin de fer. 37, 35, 33... halte! Nous
nous arrêtons devant une maison semblable à
toutes celles de ce quartier : un « compartiment ». Agence vague. Autour de la porte sont
fixées des plaques de compagnies de commerce
cantonaises peu connues. A l'intérieur, derrière
des guichets poussiéreux et prêts à tomber, somnolent deux employés chinois : l'un cadavérique,
vêtu de blanc, l'autre obèse, couleur de terre cuite,
nu jusqu'à la ceinture. Au mur, des chromos de
Shanghaï : jeunes filles à la frange sagement collée
sur le front, monstres, paysages. Devant moi, trois
bicyclettes emmêlées. Je suis chez le président du
Kuomintang de Cochinchine. Je demande en cantonais :

— Le patron est-il là ?

— Pas encore de retour, Monsieur. Mais montez
et installez-vous. »

Je monte au premier étage par une sorte d'échelle,
Personne. Je m'assieds et, désœuvré, regarde : une
armoire européenne, une table louis-philippe à
dessus de marbre, un canapé chinois en bois noir
et de magnifiques fauteuils américains, tout
hérissés de manettes et de vis. Dans la glace, au-
dessus de moi, un grand portrait de Sun-Yat-Sen,
et une photographie, plus petite, du maître de
céans. Par la baie arrive, avec un grésillement et

le son de la cliquette d'un marchand de soupe, la
forte odeur des graisses chinoises qui cuisent...

Sur l'échelle, un bourdonnement de pas.

Entrent le propriétaire, deux autres Chinois et
un Français, Gérard, pour qui je suis ici. Présentations. On me fait boire du thé vert, et on me charge
d'assurer le Comité Central « de la fidélité des
sections de toute l'Indochine française aux institu-
tions démocratiques qui, etc... »

Gérard et moi, nous sortons enfin. Envoyé spécial du Kuomintang en Indochine il n'est ici que
depuis quelques jours. C'est un homme de petite
taille, dont la moustache et la barbe grisonnent,
et qui ressemble au tsar Nicolas II, dont il a le
regard trouble, hésitant, et l'apparence bienveil-
lante. Il y a en lui du professeur myope et du
médecin de province ; il marche à mon côté d'un
pas traînant, précédé de loin d'une cigarette fixée
à l'extrémité d'un mince fume-cigarette.

Son auto, au coin de la rue, nous attend. Nous y
prenons place et partons, à petite allure, à travers
la campagne. L'air déplacé suffit à créer un climat
nouveau ; les muscles, las et tendus, à la fois, se
libèrent...

— Quelles nouvelles ?

Il hésite, ne sachant trop s'il doit m'appeler
« monsieur » ou « camarade ».

— Peu de choses... Ce que vous avez pu connaître
vous-même par les journaux. Le déclanchement des
ordres de grève des divers comités ouvriers semble
avoir été parfait... Et les Anglais n'ont rien
trouvé encore pour se défendre : l'organisation
des volontaires est une plaisanterie, bonne contre

l'émeute, peut-être, non contre la grève. L'interdiction d'exporter le riz garantit à Hongkong des
vivres pour quelque temps, mais nous n'avons
jamais songé à affamer la ville ; pourquoi faire ?
Les Chinois riches qui soutiennent les organisations contre-révolutionnaires sont assommés par
cette interdiction-là comme par un coup de
trique...

— Mais depuis hier ?

— Rien.

— Croyez-vous que le Gouvernement de la
Cochinchine ait supprimé les radios ?

— Non. Les employés du poste de T. S. F. sont
presque tous *Jeune-Annam* ; nous serions prévenus. C'est Hongkong qui ne transmet plus.

Un temps.

— Et les sources chinoises ?

— Les sources chinoises sont dirigées par la
propagande, c'est tout dire ! Des chambres de
Commerce auraient demandé à leur Président de
déclarer la guerre à l'Angleterre, des soldats anglais
de Shameen auraient été faits prisonniers par les
Cantonais, des manifestations d'une importance
exceptionnelle seraient en préparation... Des histoires. Ce qui est sérieux, ce qui est certain, c'est
que, pour la première fois, les Anglais de Hongkong
voient la richesse leur échapper. Le boycottage,
c'était bien. La grève, c'est mieux. De quoi la grève
sera-t-elle suivie ? Dommage que nous ne sachions
plus rien... Je dois recevoir quelques renseignements
dans un moment. Enfin, depuis deux jours, aucun
bateau n'a pris la mer pour Hongkong. Ils sont
tous là, dans la rivière...

— Et ici ?

— Ça ne va pas mal, vous savez : vous pourrez emporter six mille dollars au moins. Ceux-là sont versés. J'en attends six cents autres, mais sans certitude. Et il n'y a que quatre jours que je suis ici.

— Ils sont assez emballés, si j'en juge par les résultats ?

— Oh ! à fond ! L'enthousiasme chinois, c'est assez rare ; mais cette fois, il faut le dire, ils sont enthousiastes. Et songez que les six mille dollars que je vais vous remettre ont été presque tous donnés par de pauvres gens : coolies, ouvriers du port, artisans...

— Eh ! ils ont de bonnes raisons d'espérer... L'aventure de Hongkong, Shameen...

— Certainement, cette guerre latente contre l'Angleterre immobile, incapable d'agir — l'Angleterre ! — les enivre. Mais c'est bien peu chinois tout cela...

— En êtes-vous bien sûr ?

Il se tait, calé dans le coin de la voiture, les yeux à demi fermés, soit qu'il réfléchisse, soit qu'il se laisse pénétrer par cet air frais qui nous délasse comme un bain. Dans le bleu indécis du soir, les rizières passent à côté de nous, grands miroirs gris peints çà et là, en lavis estompé, de buissons et de pagodes, et toujours dominés par les hauts pylones du poste de T. S. F.. Rentrant les lèvres et mordillant sa moustache, il répond :

— Connaissez-vous le complot de « La Monade » que les Anglais viennent de découvrir à Hong-kong ?

— Je ne connais rien : j'arrive.

— Bon. Une société secrète : *La Monade*, remarque que la liaison entre Hongkong et Canton n'est plus assurée que par un petit vapeur, *le Honan*. Ce vapeur, lorsqu'il est au port, à Hongkong, est gardé par un officier anglais et quelques matelots. Les délégués de la Société distinguent — avec un grand bon sens — l'avantage qu'il peut y avoir à empêcher le bateau de partir pour Canton lorsqu'il est chargé des armes que les Anglais envoient aux contre-révolutionnaires.

— Aucun des nôtres sur ce bateau ?

— Non : c'était impossible. Et les armes sont jetées dans des barques sur quelque point désert de la Rivière des Perles. Tout-à-fait la contrebande du haschisch dans le canal de Suez.

« Revenons au complot. Six délégués qui savent pertinemment qu'ils risquent leur tête, tuent l'officier et les matelots, deviennent maîtres du bateau, y travaillent pendant quatre heures et sont pris par une ronde de volontaires anglais, à l'aube, au moment où ils partaient en emportant — devinez ? l'un des deux blocs de bois de 6 mètres de long qui portent les yeux peints à l'avant des bateaux chinois.

— Je ne comprends pas très bien...

— Ces yeux permettent au bateau de se diriger. Borgne, il échouera.

— Oh, oh !...

— Cela vous étonne ? Eh, parbleu, moi aussi. Mais au fond... Que sont ces sociétés que nous contrôlons ? (plus ou moins, d'ailleurs, ne vous y trompez pas). Des unions de quelques fanatiques, évidemment braves, de quelques richards qui cherchent la considération ou la sûreté, de nombreux étudiants, de coolies...

— Ces sociétés-là ne sont-elles pas, comme toutes les autres, à la merci de quelques hommes énergiques qui les dirigent ?

— Sans doute, et cela ne simplifie rien.

— L'énergie est toujours l'énergie.

— Pas du tout ! Mais pas du tout ! Il s'agit de savoir ce qu'on en fait ! Irez-vous chaparder des planches de six mètres sur lesquelles on a peint des yeux, pour faire couler les bateaux, vous ? Au risque de vous faire fusiller ?

— On les a fusillés ?

— Non, les Anglais se sont gênés ! Ce sont ces hommes énergiques, ces chefs, sur qui nous perdons parfois toute action. Certains, peu cultivés, sont prêts au sacrifice, pleins de foi. Avec eux, tout va bien. Mais les étudiants loquaces, idiots, qui citent Marx comme ils citaient les textes confucianistes, ah ! malheur ! Je ne sais pas qui dirigeait *La Monade* : c'était une société sans rapports avec nous. Mais elle avait parmi ses adhérents nombre d'étudiants revenus des Universités américaines... L'association la plus sérieuse, celle en laquelle vous avez le plus confiance, dites-vous bien qu'elle sera prête, le moment venu, à tout lâcher, pour aller chercher un œil peint sur un morceau de bois.

Et, voyant que je souris :

— Vous croyez que je généralise, que j'exagère. Vous verrez, vous verrez... Des faits de ce genre, Borodine et Garine vous en citeront cent...

— Vous connaissez bien Garine ?

— Mon Dieu, nous avons travaillé ensemble...
Que voulez-vous que je vous dise ?... Vous connaissez son action comme directeur de la Propagande ?

— A peine.

— Oh ! c'est... Non : il est difficile d'expliquer
cela. Vous savez que la Chine ne connaissait pas
les idées qui tendent à l'action ; et elles la saisissent
comme l'idée d'égalité saisissait en France les
hommes de 89 : comme une proie. Peut-être en
est-il ainsi dans toute l'Asie jaune ; au Japon,
quand les conférenciers allemands ont commencé la
prédication de Nietzsche, les étudiants fanatisés
se sont jetés du haut des rochers. A Canton, c'est
plus obscur, et peut-être même plus terrible. L'individualisme le plus simple était insoupçonné.
Les coolies sont en train de découvrir qu'ils existent, simplement qu'ils existent... Il y a une idéo-
logie populaire, comme il y a un art populaire, qui
n'est pas une vulgarisation, mais *autre chose*... La
propagande de Borodine a dit aux ouvriers et aux
paysans : « Vous êtes des types épatants parce que
vous êtes ouvriers, parce que vous êtes paysans,
et que vous appartenez aux deux plus grandes
forces de l'État ». Cela n'a pas pris du tout. Ils ont
jugé qu'on ne reconnaît pas les grandes forces
de l'État à ce qu'elles reçoivent des coups et
meurent de faim. Ils avaient trop l'habitude d'être
méprisés en tant qu'ouvriers, en tant que paysans.
Ils craignaient de voir la Révolution finir, et de
rentrer dans ce mépris dont ils espèrent se délivrer.
La propagande nationaliste, celle de Garine,
ne leur a rien dit de ce genre ; mais elle a agi sur

eux d'une façon trouble, profonde, — et imprévue
— avec une extraordinaire violence, en leur donnant la possibilité de croire à leur propre dignité,
à leur importance si vous préférez. Il faut voir
une dizaine de tireurs de pousses, avec leurs
binettes de chats narquois, leurs loques et leurs
chapeaux en paille de chaise, faire le manie-
ment d'armes comme volontaires, entourés d'une
foule respectueuse, pour soupçonner ce que nous
avons obtenu. La révolution française, la révolution russe ont été fortes parce qu'elles ont donné
à chacun sa terre ; cette révolution-ci est en train
de donner à chacun sa vie. Contre cela, aucune
puissance occidentale ne peut agir... La haine, on
veut tout expliquer par la haine ! Comme c'est
simple ! Nos volontaires sont fanatiques pour bien
des raisons, mais d'abord parce qu'ils ont maintenant le désir d'une vie telle qu'ils... qu'ils ne peuvent
plus que cracher sur les autres, quoi ! Borodine n'a
pas encore bien compris cela...

— Ils s'entendent bien, les deux grands manitous?
— Borodine et Garine ?
J'ai d'abord l'impression qu'il ne veut pas me
répondre ; mais non : il réfléchit. Son visage, ainsi,
est très fin. D'où peut venir cet homme intelligent ?
Le soir s'étend. Au-dessus du bruit du moteur de
l'auto, on n'entend plus que le sifflement rythmé
des cigales. Les rizières filent toujours des deux
côtés de la route ; sur l'horizon, un aréquier se
déplace lentement.

— Je ne crois pas, reprend-il, qu'ils s'entendent
bien. Ils s'entendent, voilà tout. Ils se complètent.
Borodine est un homme d'action, Garine...

— Garine ?

— C'est un homme capable d'action. A l'occasion. Écoutez : vous trouverez à Canton deux sortes de gens. Ceux qui sont venus au temps de Sun, en 1921, en 1922, pour courir leur chance ou jouer leur vie, et qu'il faut bien appeler des aventuriers ; pour eux, la Chine est un spectacle auquel ils sont plus ou moins liés. Ce sont des gens en qui les sentiments révolutionnaires tiennent la place que le goût de l'armée tient chez les légionnaires, des gens qui n'ont jamais pu accepter la vie sociale, qui ont beaucoup demandé à l'existence, qui auraient voulu donner un sens à leur vie, et qui maintenant, revenus de tout cela, *servent*. Et ceux qui sont venus avec Borodine, révolutionnaires professionnels, pour qui la Chine est une matière première. Vous trouverez presque tous les premiers à la Propagande, presque tous les seconds aux services des grèves et à l'armée. Garine représente — et dirige — les premiers, qui sont moins forts mais beaucoup plus intelligents...

— Vous étiez à Canton avant l'arrivée de Borodine ?

— Oui, reprend-il en souriant. Mais croyez que je parle bien objectivement...

D'où vient-il ? On n'emploie sans doute pas souvent le mot « objectivement » parmi les révolutionnaires de Canton...

— Et avant ?

Il se tait. Me voici très gêné. Va-t-il me répondre que cela ne me regarde pas ? Il n'aurait pas tort... Non. Il sourit encore, et posant très légèrement sa main sur mon genou :

— Avant, j'étais professeur au lycée de Hanoï.

Le sourire devient plus marqué, plus ironique aussi, et la main appuie.

« Mais j'ai préféré autre chose, figurez-vous...

Quelque histoire ? ou se moque-t-il de moi ? Il reprend aussitôt, comme s'il voulait m'empêcher de poser une nouvelle question :

— Borodine, c'est un grand hommes d'affaires. Extrêmement travailleur, brave, audacieux à l'occasion, très simple, possédé par son action...

— Un grand homme d'affaires ?

— Un homme qui a besoin de penser de chaque chose : « Peut-elle être utilisée par moi, et comment ? » Borodine, c'est cela. Tous les bolcheviks de sa génération ont été marqués par leur lutte contre les anarchistes : tous pensent qu'il faut d'abord être un homme préoccupé par le réel, par les difficultés de l'exercice du pouvoir. Et puis, il y a en lui le souvenir d'une adolescence de jeune Juif occupé à lire Marx dans une petite ville lettone, avec le mépris autour de lui et la Sibérie en perspective...

Les cigales, les cigales, les cigales.

— Quand pensez-vous avoir les renseignements auxquels vous faisiez allusion tout à l'heure ?

— Dans quelques minutes : nous allons dîner chez le Président de la section de Cholon, qui est propriétaire d'une fumerie-restaurant comme celle-ci.

Nous passons, en effet, devant des restaurants ornés de caractères énormes et de miroirs, dans une atmosphère où la vie n'est plus que lumière et bruits ; profusion de réflecteurs, de glaces, de

globes et d'ampoules, bruit de mahjong, phonographes, cris des chanteuses, flûtes aiguës, cym-
bales, gongs...

Voici des lumières de plus en plus serrées. Le
chauffeur change de vitesse et s'énerve, faisant
marcher sans arrêt son klaxon pour pouvoir avancer à travers une foule de toile blanche plus dense
que celle de nos boulevards; ouvriers, Chinois
pauvres de toutes professions se promènent en
mangeant des confiseries et des fruits, se déran-
geant à peine pour laisser passer les autos qui
jappent et grincent tandis que les chauffeurs annamites crient des injures. Ici, plus rien n'est français.

L'auto s'arrête devant un restaurant-fumerie,
non pas bordé de grossiers balcons de fer comme
ceux que nous venons de voir, mais moins colonial,
à l'aspect de petit hôtel particulier. Selon l'usage,
l'entrée, surmontée de deux caractères noirs sur
fond d'or, n'est que miroirs à droite, à gauche, au
fond, et même sur la partie verticale des marches
Dans la caisse, un Chinois obèse dont on ne voit
que le torse nu fait des comptes au boulier, mas-
quant à demi une pièce profonde où s'agitent dans
l'ombre des corps orangés et des mains agiles,
autour d'un immense plat de langoustines nacrées
et d'une pyramide de carapaces vides, légères,
écarlates.

Au permier étage, un Chinois d'une quarantaine
d'années, à tête de dogue, nous accueille (présenta-
tion) et nous fait entrer aussitôt dans un cabinet
particulier où nous attendent trois de ses compatriotes. Costumes blancs sans tache; cols militaires. Sur le canapé de bois noir, des casques colo-

niaux. Présentations. (Naturellement, impossible
d'entendre un seul nom.) Petite table sans nappe,
couverte de mets, de petites tasses pleines de
sauces ; fauteuils d'osier. La lumière des ampoules
électriques pendues au plafond en grand nombre
troue la nuit active. Une rumeur que couvrent
sans cesse les salves de pétards, le crépitement
des dominos, les coups de gong, et, de temps à
autre, le miaulement du violon monocorde, prend
possession de la pièce avec les bouffées d'air chaud
que s'efforcent de chasser les ventilateurs.

Le dogue, qui est le propriétaire et l'interprète,
me dit, à voix presque basse, avec un fort accent :

« Monsieur le Directeur de l'Hôpital français, il
est venu dîner ici, cette semaine...

Il en semble très fier ; mais il est arrêté par le
plus âgé de ses amis :

« Dis-leur que... »

Gérard leur fait aussitôt savoir que je comprends
le cantonais ; leur sympathie devient plus visible,
et la conversation commence : bavardage démo-
cratique, « droits du peuple », etc... J'ai avec violence l'impression que la seule force réelle de ces
gens est un sentiment trouble, que les maux qu'ils
ont subis sont la seule chose dont ils aient vraiment
conscience. Je songe aux sociétés des provinces
sous la Convention (mais ces Chinois sont d'une
grande courtoisie, qui fait un contraste assez
curieux avec leur coutume de se moucher dans leur
gorge). Quelle foi ils ont tous dans la parole ! Et
qu'ils doivent être faibles, en face de l'action
lucide et tenace des comités techniques auxquels
ils envoient leurs dollars !...

Voici ce qu'ils ont appris aujourd'hui, pêle-mêle :

De toutes les villes de l'intérieur, les Anglais se réfugient d'urgence dans les concessions internationales.

Les grandes fédérations de coolies ont décidé que chacun de leurs membres verserait désormais 5 cents par jour pour venir en aide aux grévistes de Hongkong.

Une manifestation formidable est en préparation à Shanghaï et à Pékin pour la commémoration des violences injustes exercées par les impérialistes étrangers et l'affirmation de la liberté chinoise.

Des enrôlements volontaires en grand nombre ont lieu dans les provinces du Sud.

L'armée cantonaise vient de recevoir de Russie une quantité considérable de matériel de guerre.

Puis ceci, sagement imprimé en gros caractères :

L'arrêt de l'électricité est imminent à Hongkong.

Cinq attentats terroristes y ont été commis hier. Le chef de la police est grièvement blessé.

La ville serait sur le point de manquer d'eau.

Et enfin des nouvelles qui concernent la politique intérieure, presque toutes relatives à un nommé Tcheng-Daï.

Le dîner achevé, nous descendons, Gérard et moi, dans un envol de manches blanches et de salamalecs, et décidons de marcher un moment ; l'air est frais ; les sirènes des bateaux, non loin, sur la rivière, dominent par instants, d'un meuglement que porte longuement l'atmosphère humide, le tintamarre des restaurants chinois.

Gérard marche à ma droite, inquiet. Il a beaucoup bu ce soir...

— Vous êtes souffrant ?

— Non.

— Vous semblez inquiet...

— Oui !

A peine a-t-il répondu qu'il se rend compte de la brusquerie du ton de ses paroles, et, aussitôt, il ajoute :

— Il y a de quoi.

— Mais tous semblaient ravis ?

— Oh ! eux ! ..

— Et les nouvelles sont bonnes...

— Lesquelles ?

— Celles qu'ils nous ont communiquées, parbleu ! L'arrêt du fonctionnement de la Centrale d'Électricité, le...

— Vous n'avez donc pas entendu ce que disait mon voisin ?

— Le mien me parlait de la révolution et de son père. j'étais bien obligé de l'écouter...

— Il disait que Tcheng-Daï va sans doute s'opposer à nous ouvertement.

— Et alors ?

— Quoi, et alors ? Ça ne vous suffit pas ?

— Ça me suffirait peut-être si je...

— Disons que c'est l'homme le plus influent de Canton.

— En quoi ?

— Je ne peux pas vous expliquer. D'ailleurs, vous entendrez parler de lui, soyez tranquille : il est le chef spirituel de toute la droite du parti. Ses amis l'appellent le Gandhi chinois. Il est vrai qu'ils ont tort.

— Précisons : que veut-il ?

— Précisons ! On voit que vous êtes jeune...

Je n'en sais rien. Et lui non plus, peut-être.

— Mais en quoi vous gêne-t-il ?

— Nos rapports étaient plutôt tendus. Maintenant, il paraît qu'il se prépare à nous accuser, devant le comité des Sept et devant l'opinion...

— De quoi ?

— Est-ce que je sais ? Ah ! parce que vous avez vu des radios merveilleux, vous croyez que tout va bien ! L'intérieur vaut l'extérieur, croyez-moi... Ce n'est pas seulement à Hongkong, c'est encore à Canton même qu'il faut lutter contre ces complots militaires que font naître sans cesse les Anglais, et en quoi ils mettent beaucoup d'espoir... La seule nouvelle réellement bonne que j'aie apprise aujourd'hui, c'est celle de la blessure du chef de la sûreté anglaise. Hong a plus de talents que je ne le supposais. Hong, c'est le chef des terroristes, celui dont les radios nous donnent de temps en temps des nouvelles : « Deux attentats ont été commis hier à Hongkong... Trois attentats... Cinq attentats... » et ainsi de suite. Garine avait en lui une grande confiance... Il a travaillé avec nous, il a été son secrétaire. Aller chercher ce moucheron pour en faire son secrétaire, encore une idée, d'ailleurs ! Hong a pour lui la fièvre de la jeunesse. Il en reviendra. Mais il faut reconnaître qu'il est assez rigolo. La première fois que je l'ai vu, c'était à Hongkong, l'année dernière. J'apprends qu'il a décidé de tuer le Gouverneur, avec un browning, lui qui n'était pas capable d'envoyer à dix pas une balle dans une porte. Il arrive chez moi à l'hôtel, balançant ses mains trop grosses comme des arro-

soirs. Un gosse, vraiment un gosse ! « Vous êtes
au cou-rant de mon pro-jet ? » Un accent très
fort, il avait l'air de couper les mots en syllabes
avec ses mâchoires. Je lui explique que «son projet », comme il dit, n'est pas malin, malin ; il
m'écoute, très embêté, pendant un quart d'heure.
Puis : « Oui. Seu-le-ment ce-la ne fait rien, tant
pis, parce que j'ai ju-ré. » Évidemment, il n'avait
plus qu'à tout démolir ! Il avait juré, sur le sang
de son doigt, dans je ne sais quelle pagode
perfectionnée... Il a été très embêté, très. Moi
je le regardais quand même avec sympathie :
les Chinois de ce genre ne sont pas communs.
Enfin, au moment de partir, il secoue les épaules
comme s'il avait des puces et me serre la main en
disant, assez lentement, ma foi : « Quand j'au-rai
é-té con-damn-né à la peine ca-pi-ta-le, il faudra
dire aux jeunes gens de m'i-mi-ter ». Il y avait des
années que je n'avais entendu dire « la peine capitale » pour « la mort ». — Il a lu des livres... —
Mais sans aucune sentimentalité, comme il aurait
pu dire : quand je serai mort, il faudra me faire
incinérer.

— Et le Gouverneur ?

— Il devait le descendre pendant je ne sais quelle
cérémonie, le surlendemain. Je me vois encore,
assis sur mon lit, à poil et les cheveux en hérisson,
par une chaleur du diable — il n'était encore que
dix heures, pourtant — écoutant un vacarme de
klaxons, de trompes et de cris, me demandant si
tout cela indiquait la fin de la cérémonie ou celle
du Gouverneur... Mais Hong, suspect, avait été
expulsé le matin même. Dans tout ce chahut

d'autos et de coureurs, je voyais sa mâchoire
débiter les mots en syllabes, et surtout, j'entendais
sa voix me dire :

« Quand j'au-rai été con-damné à la peine ca-
pi-tale... »

Je l'entends encore, d'ailleurs... Et ce n'était
pas du bluff, vous savez. Il pensait vraiment, dans
son étonnant vocabulaire, qu'il serait condamné à
mort. Ça viendra... Un vrai gosse...

— D'où sort-il ?

— De la misère. Je ne crois pas qu'il ait jamais
connu ses parents ; en tous cas, il ne m'a jamais
parlé d'eux. Il les avait avantageusement remplacés
par un type qui vend maintenant à Saïgon des
curios, des souvenirs, des choses comme ça... Un
copain. Tenez ! Voulez-vous boire un Pernod, un
vrai Pernod ?

— Volontiers.

— Ça ne se refuse pas. Nous irons chez lui
demain... Et ça vous permettra de voir un des
hommes qui ont «formé» les terroristes. Ils deviennent rares... Avez-vous envie d'aller vous coucher ?

— Pas particulièrement...

Il appelle le chauffeur, qui s'approche.

— Chez Thi-Sao.

Nous partons. Banlieue éclairée par de rares
réverbères, pans de murs noircis, arroyos où tremblent de grosses étoiles presque effacées, nuit
informe trouée çà et là de taches carrées : les
échoppes annamites où veillent des marchands
immobiles entre des piles de bols bleus... Gérard
est-il vraiment un ancien professeur ? Son carac-

tère, son vocabulaire changent à mesure qu'il se
fatigue... J'aimerais à savoir...

Nous allons très vite, et j'ai maintenant presque
froid. Calé dans mon coin, les bras croisés pour me
protéger, j'entends encore le verbiage démocra-
tique du dîner, ces formules, dérisoires en Europe,
recueillies ici comme les vieux vapeurs couverts
de rouille qui sillonnent les rivières de ces pays;
je vois encore l'enthousiasme grave qu'elles font
naître chez tous ces hommes, qui sont presque
des vieillards... Et le comité cantonais qui dirige
tout cela s'élève lentement derrière ces dépêches
que Hongkong ne peut cacher, et qui apparaissent,
une à une, comme des blessures

Voici de hauts réverbères enveloppés d'insectes,
des rues de sable qui se croisent : Saïgon. Nous
traversons rapidement, pour entrer dans la ville
indigène, quelques boulevards français : de l'herbe
humide, de l'herbe, de l'herbe, des murs moisis,
des jardins, une végétation suintante et touffue,
quelques palmes, et de loin en loin, les lumières
des villas. Puis le chauffeur, de nouveau, fait ronfler son klaxon : les passants sont devenus nombreux. Sur la lumière de rez-de-chaussée des
échoppes annamites, les ombres serrées sont indistinctes; l'Asie du Sud ne se traduit ici que par
l'odeur de poivre et de poisson, la moiteur de
l'air et le crépitement des socques. Puis, une fois
de plus, nous quittons la ville. Nous filons pendant une dizaine de minutes à travers l'odeur de
la forêt. A l'angle de deux rues, pistes de sable
sans trottoirs, l'auto s'arrête. Aussitôt des femmes

annamites s'approchent de la portière : « Dix sous
un coup, missieu », vite chassées par les cris et
l'ombre d'un gardien arabe derrière lequel apparaît une paillotte, en contre-bas.

« Deux monsaris [1], deux ! » crie une femme lorsque nous entrons.

— Mais dites donc, Gérard, croyez-vous qu'il
soit très sage...

— Oh ! en Cochinchine ça n'a pas d'importance. »
C'est une sorte de café, où se tiennent des prosti-
tuées annamites, en tunique et pantalon blancs.
Deux d'entre elles sont venues à notre table, et sur
un geste de Gérard, sont parties. Sol de terre,
murs et toit de chaume, mais, sur les tables de
rotin, des seaux à champagne. La patronne vient
nous serrer la main : c'est une jeune annamite,
belle, qui semble phtisique, et dont les paupières,
pendant qu'elle nous sourit, se ferment. « Tu es
fatiguée, Thi-Sao ? — Çi salauds-là trouver moyen
squinter moi... » répond-elle en montrant d'une
main tombante des sous-officiers de la Coloniale
qui sortent, riant d'un gros rire. Nous buvons...
Je ne crois pas que Gérard soit ivre, mais il y a en
lui quelque chose de bizarre, comme s'il éprouvait
un inexplicable plaisir physique. Les femmes vont
et viennent autour de nous. Derrière la salle où
nous nous trouvons sont d'autres pièces : au-
dessus des cloisons passent des chansons de légionnaires chantées à mi-voix, et le son de tapes molles...
L'un après l'autre, nos voisins s'en vont ; quand
Gérard se tait, le cri des cigales des tropiques, non

1. Monsari : mon chéri.

plus rythmé mais lié comme le roulement d'un
sifflet aigu, prend possession de la pièce, constant,
égal, interminable...

*
* *

1er Juillet.

*Hongkong. — Les infirmiers chinois des hôpitaux
sont tous en grève.*

*Les bateaux de la Compagnie de Navigation de
l'Indochine sont immobilisés dans le port.*

De nouveaux attentats ont été commis hier.

On est sans nouvelles de la concession de Shameen.
Tristesse, ennui, énervement de ne savoir que
faire dans cette ville où je suis obligé d'attendre que
le bateau reparte, alors que je voudrais tant être
à Canton. Gérard me rejoint à l'hôtel. Nous déjeu-
nons de bonne heure, presque seuls dans la salle ;
il me conte, moins confusément qu'hier, l'histoire
de ce Hong qui fait exécuter actuellement, les uns
après les autres, les chefs des services anglais, et
de l'homme que nous allons voir cette après-midi,
l'homme dont le hasard fit, dit Gérard « l'accou-
cheur de Hong ». Il s'appelle Rebecci ; c'est un
Gênois, qui a traversé la révolution chinoise avec
une tranquillité de somnambule. Quand il arriva
en Chine, voilà des années, il ouvrit un magasin à
Shameen ; mais les Européens riches lui inspiraient
tant d'antipathie qu'il l'abandonna et s'établit dans
une ville chinoise, où Gérard et Garine le connurent

en 1920. Il vendait aux Chinois la pacotille des
bazars d'Europe et, surtout, possédait des petits
automates : oiseaux chanteurs, ballerines, chat-
botté, qu'une pièce de monnaie mettait en mouvement, et dont il vivait. Il parlait couramment le
cantonais et avait épousé une indigène assez belle,
qui était devenue un peu grasse. Il avait été, vers
1895, anarchiste militant ; il n'aimait pas à parler
de cette partie de sa vie, dont il se souvenait avec
fierté mais avec tristesse, et qu'il regrettait d'autant plus qu'il savait combien il était devenu
faible :

« Qu'est-ce que vous voulez, tout ça c'est des
choses passées... »

Gérard et Garine allaient parfois le voir vers
sept heures ; sa grande enseigne lumineuse commençait à s'allumer ; des gamins à houppe la regardaient, assis en rond par terre. Des taches de jour
s'accrochaient aux paillons et aux soieries des pou-
pées ; un bruit de casseroles remuées venait de la
cuisine. Rebecci, étendu sur une chaise-longue
d'osier au milieu de son étroit magasin, rêvait à
des tournées dans l'intérieur de la province, avec
des automates neufs et nombreux. Les Chinois
feraient queue devant la porte de sa tente ; il
reviendrait riche : il pourrait acheter une vaste
salle dans laquelle le public trouverait des punching-
balls, des nègres au ventre de velours rouge, des
fusils électriques, des bascules, toutes sortes d'appareils à sous, et peut-être un bowling... Quand
Garine arrivait, il sortait de sa rêverie comme d'un
bain, en se secouant, lui tendait la main et lui parlait de magie. C'était son dada. Non qu'il fût, à

proprement parler, superstitieux ; mais il était
curieux. Rien ne prouvant la présence des démons
sur la terre, et particulièrement à Canton, mais
rien non plus ne prouvant leur absence, il convenait
de les invoquer. Et il en nvoquait beaucoup, ob-
servant les rites, depuis ceux dont il trouvait les
noms dans un Grand Albert incomplet jusqu'à
ceux que connaissaient intimement les mendiants
et les servantes. Il trouvait peu de démons, mais
beaucoup d'indications dont il tirait profit pour
étonner ses clients ou les guérir, à l'occasion, de
maladies bénignes. A peine fumait-il l'opium;
souvent, à l'heure de la sieste, on voyait déambuler
sa silhouette blanche : casque plat, torse étroit,
vastes pantalons que des pinces de cycliste trans-
formaient en pantalon de zouave, et les pieds en
dehors de Charlot ; car il aimait à sortir accompagné d'un vélo qu'il tirait plus qu'il ne l'em-
ployait, un vélo passé de mode, mais toujours
soigneusement graissé.

Il vivait entouré de petites filles qu'il avait
recueillies, servantes dont le principal travail était
d'écouter des histoires, et que surveillait avec soin
son épouse chinoise qui n'ignorait pas qu'il eût
été curieux de tenter avec elles quelques expériences. Hanté par un érotisme dû à son âge et au
climat, il ne quittait *Les clavicules de Salomon* que
pour lire ou relire *Le règne du fouet*, *Esclave*, ou
quelque autre livre français du même genre, Puis il
se laissait aller à de longues rêveries, dont il sortait, craintif et alléché, avec un sourire d'enfant
peureux. « Monsieur Garine, qué vous pensez qu'il
y a des choses sales en amourr ? — Non, mon

vieux, pourquoi ? — Perqué, perqué... ça m'intéresse... » La bibliothèque était complétée par une
édition des *Misérables* et par quelques brochures
de Jean Grave, qu'il conservait, mais n'admirait
plus.

En 1918, il s'était pris de sympathie pour Hong
qu'il avait distingué parmi les jeunes Chinois qui
venaient l'écouter. Il avait vite abandonné les
histoires de fantômes, et lui avait enseigné le
français (il ne possédait plus aucun texte italien,
et savait à peine l'anglais). Quand Hong sut parler
il apprit à lire ; puis grâce à la facilité qu'ont les
Asiatiques pour l'étude des langues étrangères, il
apprit presque seul l'Anglais qu'il ne savait guère,
et lut tout ce qu'il put trouver — peu de choses.
L'enseignement que donnent les livres fut remplacé
pour lui par l'expérience de Rebecci. Une amitié
profonde les liait, qui ne se manifestait jamais
et qu'eussent difficilement permis de deviner la
brusquerie de Hong et l'ironie timide et maladroite
du Gênois. Hong, habitué à la misère, avait rapidement compris la valeur du caractère de son vieux
camarade qui ne faisait pas l'aumône, mais emme-
nait les mendiants « prendre un verre » (jusqu'au
jour où, furieux de voir sa boutique luisante envahie par un groupe de faméliques, alors précisément qu'il n'avait pas un sou, il les mettait tous
dehors à coups de pied) et qui, lorsque son frère
avait été envoyé à Biribi, avait tout quitté pour
s'installer près du bagne, afin de trouver les
« combines » susceptibles de rendre son existence
moins douloureuse, et de pouvoir, de temps à
autre, en allant le voir, l'embrasser sur la bouche

pour lui glisser un louis d'or. Rebecci, lui, avait été
touché par cet adolescent qui éclatait d'un rire de
nègre quand il lui contait des histoires, mais en qui
il sentait un courage certain, une fermeté singulière
à l'égard de la mort, et, surtout, un fanatisme qui
l'intriguait. «Toi, si tu n'es pas toué trop petit,
tu feras des bonnes choses... »

Hong lut Jean Grave ; et dès qu'il eut terminé
il demanda à Rebecci ce qu'il en pensait.

Rebecci réfléchit avant de parler — ce qui lui
arrivait rarement — et dit :

« Faut qué jé réfléchisse, perqué tu comprends,
mon petit, Jean Grave, pour moi, il est pas un bon-
homme, il est ma jeunesse... On rêvait des choses,
maintenant on fait marcher des oiseaux mécaniques... C'était un temps mieux qué céloui-ci ;
mais nous n'avions tout dé même pas raison. Ça
t'étonne qué jé té dise ça, hé ? Non, nous n'avions
pas raison. Perqué... écouté-moi biein : quand on a
ouné vie seulemeint, on ne cherche pas à changer
l'état social... Cé qué difficile, c'est dé savoir cé qué
l'on veut. Voilà : qué si tu fous une bombe dessus
le magistrat, comprends-tu, il en crève, et c'est
biein. Mais qué si tu fais un journal pour qué la
doctrine elle soit connue, tout le monde il s'en
fout... »

Sa vie était manquée. Il ne savait trop en quoi,
mais elle était manquée. Il ne pouvait retourner en
Europe : il était maintenant incapable d'un travail
manuel, et il ne voulait pas en accepter un autre.
Et à Canton il s'ennuyait, bien qu'en somme...
S'ennuyait-il ou se reprochait-il d'avoir accepté
une vie peu digne des espoirs de sa jeunesse ? Mais

n'était-ce pas là le reproche d'un imbécile ? Il s'y
perdait. On lui avait proposé la direction d'un service de la police de Sun-Yat-Sen ; ses sentiments
d'anarchiste étaient trop forts encore, et il se savait
incapable de faire dénoncer ou surveiller un homme.
Plus tard, Garine lui avait proposé de travailler
avec lui : « Non, non, monsieur Garine, vous êtes
bien gentil, mais vou; savez, jé crois qué mainte-
neint, c'est trop tard... » Peut-être avait-il eu tort?...
En somme, il était, sinon content, du moins tranquille entre ses démons, ses livres de magnétisme,
sa Chinoise, Hong, et ses appareils automatiques...

Hong médita le jugement confus que Rebecci
portait sur sa vie. La seule chose que l'Occident lui
eût enseignée avec assez de force pour qu'il lui fût
impossible de s'en délivrer, c'était le caractère
unique de la vie. Une seule vie, une seule vie... Il
n'en avait point conçu la crainte de la mort (il
n'est jamais parvenu à comprendre pleinement ce
qu'est la mort ; même aujourd'hui, mourir n'est
pas pour lui mourir, mais souffrir à l'extrême d'une
blessure très grave), mais la crainte profonde et
constante de gâcher cette vie qui était la sienne et
dont il ne pourrait jamais rien effacer.

C'est dans cet état d'incertitude qu'il devint
l'un des secrétaires de Garine. Garine l'avait choisi
pour l'influence que son courage lui donnait déjà
sur un groupe assez nombreux de jeunes Chinois
qui constituaient l'extrême-gauche du parti. Hong
était séduit par Garine, mais il rapportait le soir à
Rebecci, non sans quelque méfiance, ses propos et
ses ordres. Le vieux Gênois, allongé sur sa chaise-
longue et occupé à faire tourner un moulin à vent

de papier ou à contempler une de ces boules chinoises emplies d'eau dans lesquelles on voit des jardins fantastiques, posait l'objet qu'il tenait, croisait ses mains sur son maigre ventre, haussait les sourcils avec perplexité, et finissait par répondre : « Hé bé, peut-être biein qu'il a raison, le Garine, peut-être biein qu'il a raison... »

Enfin, les troubles devenant de plus en plus fréquents et Rebecci de plus en plus pauvre, il avait accepté un poste au service des Renseignements Généraux, après avoir spécifié qu'il était bien entendu qu'il « n'aurait à moucharder personne ! » Et Garine l'avait envoyé à Saïgon, où il était utile.

Nous avons fini de déjeuner, et nous marchons déjà, le dos courbé sous la chaleur, lorsque Gérard se tait. C'est l'heure, paraît-il, à laquelle on trouve Rebecci.

Nous entrons dans un petit bazar : cartes postales, Bouddhas, cigarettes, cuivres d'Annam, dessins du Cambodge, sampots, coussins de soie brodés de dragons ; accrochées au mur jusqu'au plafond, hors de la lumière du soleil, des choses vagues en fer. Dans la caisse, une grasse Chinoise dort.

— Le patron est là ?

— Nan, missieu.

— Où ?

— Sais pas.

— Bistrot ?

— Pit-êt' bistrot Nam-Long. »

Nous traversons la rue : « bistrot Nam-Long », c'est en face. Café silencieux ; au plafond, les petits lézards beige font la sieste. Deux domestiques, portant des pipes à opium et des cubes de porcelaine sur lesquels les fumeurs posent leurs têtes, se croisent dans l'escalier; devant nous les boys dorment, nus jusqu'à la ceinture, les cheveux dans le bras replié. Étendu, seul sur la banquette de bois noir, un homme regarde devant lui, balançant doucement la tête. Lorsqu'il voit Gérard, il se lève. Je suis un peu étonné : j'attendais un personnage garibaldien, des sourcils touffus, des cheveux bouclés; c'est un petit homme sec, aux doigts noueux, aux cheveux plats déjà grisonnants coupés en rond, à tête de Guignol...

« — Voici un homme qui n'a pas bu de Pernod depuis des années, dit Gérard, me montrant du doigt.

— Bon, répond Rebecci. Qué ça va. »

Il sort. Nous le suivons. « Garine l'avait surnommé Gnafron », murmure Gérard à mon oreille pendant que nous traversons la rue.

Nous entrons dans son magasin, et montons au premier étage. La Chinoise a levé la tête, nous a regardés passer et s'est rendormie. La chambre est vaste. Au centre, un lit dans sa moustiquaire; le long des murs, quantité d'objets recouverts d'une toile à ramages. Rebecci nous quitte. Nous entendons une serrure qui grince, un coffre qu'on referme brusquement, l'eau qui jaillit d'un robinet et bouillonne dans un verre. « Je descends une minute, dit Gérard. Il faut que j'aille dire quelques mots à sa Chinoise, si elle ne dort pas trop : ça lui fait plaisir. »

La minute est longue. Rebecci revient le premier,

portant sur un plateau une bouteille, du sucre, de
l'eau et trois verres — toujours silencieux. Il
s'assied et prépare lui-même les trois pernods, sans
parler. Après un moment :

« — Hé bé, qué j'ai pris la retraite, vous voyez... »

Ne sachant trop que dire, je lui demande s'il
connaît la maison de Thi-Sao, et lui conte la fin
de notre dernière soirée.

— Tieins, tieins ! Il y va tous les jours, mainte-
neint, ce garçon.... Il fot croire qué ça lui fait
plaisir... Et pour boire seulemeint... Il a pris tôt
cette retraite-là, lui, tout dé même...

— C'est-à-dire ? impuissant ?

— Bé presque, quoi ! Il peut plus. Ou guère.
Mais c'est drolle ; il lui faut des femmes autour de
lui... Ça le rend chose...

— Rebecci, crie Gérard qui monte l'escalier,
lissant sa barbe, le camarade attend de toi de belles
histoires, des histoires qui concernent ton fils
spirituel ! Ah ! je suis resté longtemps : j'ai eu
l'impression que nous étions filés. Non : je m'étais
trompé.

Il n'a pas vu combien l'expression du visage
de Rebecci a changé lorsqu'il a parlé de Hong.

— Toi, si jé té connaissais pas comme jé té
connais, tu aurais déjà ma main dessus la gueule...
Plaiseinte pas avé ça !

— Qu'est-ce qui te prend ?

— Tu trouves qué c'est le jour, alorss ?

— Quel jour ?

Rebecci hausse les épaules, excédé.

— T'es pas allé chez le Présideint, ce matin,
pour le banquet ?

— Non.

— Mais qu'est-ce qué tu fous ?

— Nous avons rendez-vous à cinq heures.

— Ah ! c'est ça, donc... Qué tu devrais bien lui demander dès nouvelles de Hong, à lui. Il té dirait qué Hong il est entre les pattes des cochons...

— Des Anglais ? Depuis quand ?

— Hier soir, qu'il dit. Deux heures après l'émission des radios, peut-être... »

De sa cuiller, il frappe son verre à petits coups, puis boit d'un trait :

« Un autre jour, qué jé né dis pas non... Et le Pernod, il est là pour les copeins... »

2 Juillet.

Descente de la Rivière.

Il semblait que l'angoisse dût grandir, à mesure que nous approchions du but. Pas du tout : le paquebot est dominé par la torpeur. Heure par heure, tandis que, les mains couvertes de gouttes de sueur, nous longeons dans la buée dense les berges plates de la rivière, Hongkong devient plus réelle, cesse d'être un nom, un lieu quelque part en mer, un décor de pierre ; chacun sent la vie la pénétrer. Plus d'angoisse véritable : un état trouble, dans lequel se mêlent l'énervement causé par la régularité mécanique de la marche du navire et la conscience d'éprouver ses derniers instants de liberté : les corps ne sont pas encore engagés, l'inquiétude n'a qu'un objet abstrait. Minutes bizarres, pendant lesquelles les vieilles puissances animales prennent possession de tout le bateau. Hébétude presque heureuse, nonchalance énervée. Ne pas voir encore, connaître seulement les nouvelles, n'être pas encore *envahi...*

4 Juillet.

Les radios sont contrôlés à tel point qu'il devient impossible de rien supposer. Une censure de guerre.

5 Juillet
5 *heures.*

La grève générale est déclarée à Hongkong.

5 *heures* 1 /2.

Le Gouvernement proclame l'état de siège.

9 *heures.*
En rade de Hongkong.

Nous venons de dépasser le phare. Les tentatives de sommeil ont été abandonnées ; hommes et femmes sont sur le pont. Limonades, whisky-sodas. Au ras de l'eau, des lignes d'ampoules électriques dessinent en pointillé lumineux le contour des restaurants chinois. Au-dessus, la masse du rocher fameux, puissante, d'un noir compact à la base, monte en se dégradant dans le ciel, et finit par arrondir au milieu des étoiles sa double bosse asiatique entourée d'une brume légère. Ce n'est pas une silhouette, une surface de papier découpé, mais une chose solide et profonde comme une matière vraie, comme une terre noire. Une ligne de globes (une route ?) ceint la plus haute des deux bosses, le Pic, comme un collier. Des maisons, on ne voit qu'un semis de lumières incroyablement serrées, presque mêlées au-dessus du profil tremblant des restaurants chinois, et qui se désagrège, comme le noir du roc, à mesure qu'il s'élève, pour aller se perdre là-haut dans les étoiles éclatantes et lourdes. Dans la baie, très nombreux, des grands paquebots dorment, illuminés, avec leurs étages de hublots, dont les reflets en zigzags se mêlent dans l'eau encore chaude à ceux de la ville. Toutes ces lumières dans la mer et dans le ciel de Chine, ne font pas songer à la force des blancs qui les ont créées, mais à un spectacle polynésien, à l'une de ces fêtes dans lesquelles les dieux peints sont honorés par de grandes libérations de lucioles lancés dans la nuit des îles comme des graines...

Vertical, un écran confus passe devant nous, cachant tout, sans autre son que celui d'une guitare monocorde : voile de jonque. L'air est tiède — et si calme !...

Le paysage de points lumineux, soudain, cesse d'avancer vers nous. Halte. Les ancres plongent avec un fracas assourdissant de ferrailles remuées. Demain matin, à sept heures, la police viendra à bord. Défense de descendre à terre.

Le matin.

Des matelots du paquebot portent nos bagages dans la chaloupe de la Compagnie. Aucun coolie n'est venu proposer ses services. Nous filons au ras de la mer, à peine secoués par cette eau épaisse de lagune. Soudain, au moment où nous doublons un petit cap hérissé de cheminées et de signaux, le quartier des affaires se montre : de hauts édifices en profil le long du quai, une ligne de Hambourg ou de Londres écrasée par un cône de végétation intense et un ciel sur lequel l'air transparent tremble comme s'il sortait d'un four. La chaloupe accoste au débarcadère de la gare, d'où le chemin de fer, naguère, partait pour Canton.

Toujours pas de coolies. La Compagnie a prié les grands hôtels européens d'envoyer des hommes, dit-on... Personne. Les passagers hissent leurs malles à grands efforts, aidés par les matelots.

Me voilà sur le quai. Personne, personne, personne. Je m'engage dans une grande rue qui me semble orientée vers le centre. Architecture à demi-flamande, à demi-moderne : les pignons succèdent aux toits plats de ciment armé. A l'extrémité des rues étroites, captifs entre des perspectives de bâtiments à huit étages, des dômes de temples presbytériens semblables à celui de Saint-Paul de Londres ; au-dessus, toujours, le roc et la verdure du pic. Du sol, sur lequel les bottines ne font aucun bruit, monte la forte odeur du goudron, de l'asphalte et de l'huile, comme à Singapour. Essence, objets de nickel exposés dans des vitrines, cannes de golf, longues plaques de cuivre indiquant autour de chaque porte le nom de dix entreprises, magasins anglais, thés, confiseries, librairies où ne sont proposés que des livres de voyage et des revues ; tout est ordonné pour l'action. Pas d'arbres comme à Saïgon, pas de pelouses comme à Singapour : des pierres. Agir. Dominer. Pas de maisons d'habitation : Banques, Compagnies, Compagnies, Compagnies, Compagnies... Panneaux de publicité. Et sur tout cela, — inquiétant, — revenu soudain des âpres montagnes de Chine qui nous entourent, le silence. Il semble que cette ville soit en proie à une épidémie... Ville déserte, solitude nocturne. On ne pense pas à l'abandon, mais à quelque catastrophe. Une grande machine enrayée.

Aucun véhicule auprès des écriteaux qui indiquent les lieux de réunion des pousse-pousse ou des automobiles de location. Un soldat anglais traverse la rue ; derrière moi un Chinois désœuvré fait claquer ses socques, comme pour rendre le silence plus lourd.

Le Hongkong Hôtel. Personne à la réception. Après plusieurs appels de sonnette électrique, un employé anglais arrive, les yeux bouffis, fatigué, et ne comprend pas d'abord ce que je lui demande. Le boy tonkinois (à la demande du Gouvernement de Hongkong, le Gouvernement Général de l'Indochine a embarqué à Haïphong, pour lutter contre la grève, un certain nombre de boys tonkinois et annamites qui viennent d'arriver et ne tarderont sans doute pas à refuser tout travail eux aussi), le boy tonkinois qui doit me conduire à ma chambre s'égare dans les corridors, et je finis, ma foi, par la trouver seul. Je dépose mes valises et sors.

Je gravis la rue Wyndham, étroite et rapide. Ici, la Chine commence : chanteuses vêtues de costumes simples, car il est encore très tôt, et métisses qui suivent les cours de l'Université, avec leurs robes blanches, leurs cheveux courts et leurs lunettes d'écaille. Pas d'hommes. A droite, les édifices où l'on fabrique les journaux sont déserts. Dans l'odeur intense des narcisses du marché aux fleurs, à travers les fenêtres je vois les presses brillantes et noires, sans mouvement et au-dessus des portes, de larges écriteaux : GRÈVE. Un échafaudage est dressé contre les murs de la *Chine du Sud* : nul n'y travaille. En face, les boutiques des antiquaires sont pleines

d'ombre et de merveilles. Çà et là, j'entrevois des
grands vases de l'époque des empereurs Han,
sobres, magnifiques et sans doute faux ; mais nul
chaland : les becs de cane ont été retirés.

Voici la rue principale. Limite du roc et de la
mer, la ville, édifiée sur l'une, accrochée à l'autre,
est un croissant dans lequel cette rue, coupée perpendiculairement par toutes les rampes qui joignent le quai au Pic, dessine en creux une grande
palme. Toute l'activité de l'île, d'ordinaire, s'y
concentre. Aujourd'hui, elle est, elle aussi, déserte
et silencieuse. De loin en loin, unis et méfiants
comme des agents de police, deux volontaires
anglais vêtus en boys-scouts se rendent au marché
pour y distribuer les légumes ou la viande. Des
socques sonnent dans l'éloignement. Aucune femme
blanche. Pas d'automobiles.

Voici des magasins chinois : bijouteries, marchands de jades, commerces de luxe ; je rencontre
moins de maisons anglaises ; et, la rue décrivant
brusquement un coude, je cesse d'en voir. Ce
coude est double et la rue semble fermée comme une
cour. Partout, à tous les étages, des caractères :
noirs, rouges, dorés, peints sur des tablettes verticales ou fixés au-dessus des portes, énormes ou
minuscules, fixés à hauteur des yeux ou suspendus
là-haut, sur le rectangle du ciel, ils m'entourent
comme un vol d'insectes. Au fond de grands trous
sombres limités par trois murs, les marchands aux
longues blouses, assis sur un comptoir, regardent la
rue. Dès que je parais, ils tournent leurs petits
yeux vers des objets pendus au plafond depuis des
millénaires : sèches tapées, calmars, poissons, sau-

cisses noires, canards laqués couleur de jambons,
ou vers les sacs de grains et les caisses d'œufs
enrobés de terre noire posés sur le sol. Des rayons
de soleil denses, minces, pleins d'une poussière
fauve, tombent sur eux. Si, après les avoir dépas-
sés, je me retourne, je rencontre leur regard qui
me suit, pesant, haineux.

Devant les banques chinoises surmontées d'enseignes dorées, et fermées, comme des prisons
ou des boucheries, par des grilles, des soldats
anglais montent la garde ; j'entends parfois le
choc des crosses de leurs carabines sur l'asphalte.
Symbole inutile : la ténacité des Anglais, qui a
su conquérir cette ville sur le roc et sur la
Chine, maison par maison, est sans force contre
la passivité hostile de trois cent mille Chinois décidés à n'être plus des vaincus. Armes
vaines... Ce n'est pas seulement la richesse, c'est le
combat qui échappe à l'Angleterre.

Onze heures. J'achète quelques journaux chinois et regagne l'hôtel.

*
* *

Impossible de déjeuner : les boys tonkinois
arrivés avant-hier de Haïphong sont trop peu
nombreux pour servir tous les voyageurs des
paquebots immobilisés en rade. On me conseille
d'aller au bar automatique, qui n'est pas éloigné.
Course inutile : le patron est Chinois et le bar est
fermé. Je retourne à l'hôtel. Tous les couloirs sont
encombrés de malles déposées presque au hasard
entre lesquelles circulent, ahuris, les malheureux

Tonkinois interpellés sans cesse. Les voyageurs,
très nombreux, se pressent et se bousculent dans
l'hôtel désorganisé ; dans un coin, un enfant pleure.
Entourés d'un groupe bruyant, le propriétaire et
le directeur passent, harcelés, exaspérés, bouchant
leurs oreilles et se secouant comme s'ils se défen-
daient contre des mouches. Quelques objets précieux ont déjà disparu.

Peut-être aurais-je pu déjeuner à bord, mais la
chaloupe est repartie et il est impossible de trouver
une embarcation. Ces derniers jours, on a craint
l'arrêt de l'électricité. Les ventilateurs immobilisés,
il est certain que la vie des blancs deviendrait
extrêmement pénible. Déjà — il n'est pas encore
midi — dans cette foule, la lourde chaleur impose le
sommeil... Mais la marche de l'usine est maintenant
en partie assurée par les volontaires européens. Et
toujours, ne pouvant trouver de chambre, hésitants
et affairés comme des hannetons, des voyageurs
passent et repassent, le sac de voyage ou le casque
à la main, épongeant leur front et rejetant en
arrière, d'un mouvement de la tête, leurs cheveux
collés par la sueur. Le brouhaha de notre arrivée
s'est affaibli, puis, chose surprenante, a cessé ; et,
maintenant, c'est presque dans le silence que tous
ces personnages vêtus du costume blanc des tropiques glissent ou se poursuivent, tandis que
monte des bagages une pénétrante odeur de cuir.
L'enfant continue à pleurer. Un de mes voisins d'un
instant, Français d'Indochine arrêté ici depuis
trois jours par la grève, a commencé de me parler.
La situation de la ville ne le cède en rien à celle
de l'hôtel : les Européens, hommes et femmes, sont

obligés de faire eux-mêmes les plus humbles besognes, dans ce pays où le moindre travail physique
couvre les mains d'eau chaude. Les célibataires
dont les clubs sont désorganisés par l'absence des
domestiques prennent leur nourriture dans des
cantines où déjà s'introduisent les cancrelats, et
craignent chaque jour d'être empoisonnés. Presque
toutes les maisons de commerce anglaises sont
fermées, comme je l'ai vu. Quelques-unes, paraît-
il, sont entr'ouvertes, grâce à un personnel composé
de métis et de quelques blancs venus de Shanghaï...

Mais voici que la foule se dirige vers le bar.
Le barman a eu l'idée ingénieuse de faire préparer des sandwiches que les Tonkinois distribuent, maladroits, embarrassés lorsqu'ils doivent
rendre quelques pièces de cette monnaie qu'ils ne
connaissent pas, harcelés, comme l'était tout à
l'heure le propriétaire, par des groupes d'acheteurs
impatients et crispés...

*
* *

Quatre heures. Je n'ai presque pas dormi.
Sieste fiévreuse due au ventilateur qui tourne
à peine : la marche de l'usine électrique n'est
assurée que partiellement. Il fait encore extrêmement chaud, et, dans les rues, de l'asphalte bril-
lant et qui reflète le ciel bleu, une chaleur plus
forte que celle de l'atmosphère monte avec la poussière. Le sous-délégué du Kuomingtang doit me
remettre des documents. Le délégué principal, un
balte, vient d'être expulsé. Peut-être verrai-je

l'organisateur européen de la grève, l'allemand
Klein.

Je sais seulement de ce sous-délégué qu'il se
nomme Meunier, fut jadis ouvrier mécanicien à
Paris, et sergent-mitrailleur pendant la guerre.
Son aspect, sur le seuil de sa maison coloniale très
simple, au bas du Pic, me surprend : je supposais
qu'il était assez âgé : il ne semble pas avoir plus
de trente-cinq ans. C'est un grand garçon rasé,
solide, à qui une lèvre supérieure très rapprochée
d'un nez fin, des petits yeux très vifs et des mèches
folles composent vaguement une tête de lapin
facétieux ; cordial, loquace, visiblement heureux
de parler français, enfoncé dans son fauteuil de
rotin, devant deux hauts verres de menthe fraîche
couverts de buée... Après dix minutes, il est lancé :

— Ah ! mon vieux, ça, alors, c'est un beau spectacle : le dogue de la maison Old England, le seul
vrai, Hongkong soi-même, il pourrit sur pied, il
est bouffé aux vers ! Tu as vu les rues, hein, puisque tu es arrivé ce matin ? C'est pas laid. C'est
même joli. Mais c'est rien, mon vieux, c'est rien,
je te dis. Faut voir ça du dedans pour que ça soit
tout à fait beau ! »

Certains accents ironiques, et le plissement des
paupières, montrent la finesse d'un homme qui
n'est nullement naïf.

— Et que voit-on, du dedans ?

— Ben, des tas de trucs. Des prix, par exemple.
Les maisons qui valaient cinq mille dollars l'année
dernière, quand on veut les vendre on en demande
1.500. Et on ne les vend pas facilement, encore !
Et tu sais, ça a sa petite importance, le prix des

maisons. Et puis il y a les maisons de commerce :
elles n'ont pas encore toutes mis la clef sur la porte,
non. Ne t'y trompe pas : c'est pas leurs somptueux
bénéfices qui leur permettent de payer leurs nobles
employés. Sais-tu ce que c'est ? C'est les banques,
mon vieux, les banques qui leur avancent des
fonds par ordre du Gouverneur. Et ça leur coûte
un de ces pognons, aux banques ! Si t'as envie de
rigoler, donne-toi la peine d'aller acheter un taille-
crayon ou une gomme à effacer dans une des
grandes boîtes ; chez Whiteaway, chez Jardine,
chez Yale. Ils s'empresseront comme des petites
folles, les gentlemen ! Ils seront trois pour envelopper ton objet avec du papier de soie ! Oh !
maintenant, ils ont des loisirs... Alors ils les occu-
pent. Ils sont volontaires : bouchers, marchands
de légumes, coltineurs, tout ça... C'est pas désa-
gréable de regarder le directeur de la Compagnie
Machinchose avec un demi-bœuf sur le dos : ça
change de ce qu'on a l'habitude de voir. C'est un
résultat. Il trouve pas encore son bœuf trop lourd,
parce qu'il est novice ; mais dans une petite quin-
zaine...

« Ce qui est vraiment superbe, mon vieux, c'est
de les voir chercher la grève. Ils ne trouvent rien.
Quand, par hasard, un malheureux Chinois qui
vient de gueuler : « Vive la Chine ! » ou quelque
chose d'aussi astucieux leur tombe sous la patte,
qu'est-ce qu'il prend ! Ceux de « la Monade » —
tu connais l'histoire de ceux de la Monade ?

— Oui, Gérard me l'a racontée.

— Ben, mon vieux, ils les ont fusillés à une
vitesse vertigineuse... Ça les rend furieux de ne

trouver presque personne. Furibards. Ils ne se
connaissent plus. Alors, ils font raconter des tas
de blagues par leur Sûreté. C'est comme quand
ils ont fait répandre le bruit qu'ils avaient chipé
Hong. Ah ! là là !

— C'était faux ?

— Et comment !

— Mais tout le monde, à Saïgon, croyait...

— Oh, les bobards, c'est pas ça qui manque.
Hong est à Canton, bien tranquille. Enfin, pour
revenir aux Anglais, la semaine dernière nous
leur avons coûté 250.000 dollars. Tu comprends,
ça les réjouit...

— Mais enfin, ils doivent avoir toujours pour
eux les riches marchands, ceux qui ont quitté
Canton pour s'opposer au Kuomintang ?

— Ça ne les mène pas loin. D'abord, il faut voir
le nombre des Chinois qui partent tous les jours
pour Canton. (Hier, un bateau a coulé dans la
Rivière des Perles avec 800 passagers. 800 passagers
sur une carcasse de bateau chinois ! Ils étaient dans
la joie, les Anglais ! Ça rappelait les beaux temps
du Transvaal). Bon. Ensuite, beaucoup de richards
se sont ralliés au Kuomintang depuis qu'il est victorieux. Et puis d'autres se sont ralliés à cause d'une
épidémie de coups de couteau qui sévissait, comme
ça, vu la nocivité de l'air, parmi les saligauds...
Et puis, enfin, il y a l'enthousiasme... Ce Garine
n'est pas maladroit... Là, en face, sur toute la
côte, on dirait, ma foi, qu'ils se trouvent tout à
coup du courage... J'étais à Canton, le 14 quand
Hsu Chiang Chi est rentré après avoir battu — et
comment ! — les mercenaires yunnanais révoltés.

On ne peut pas expliquer ça... Une histoire, hein, crasseuse, avec une sale gueule d'étal plein de vieux chiffons sanglants, de fusils cassés, de bouts de fer, et puis comme toujours, les yeux des morts... On a beau avoir l'habitude... Ils ont enseveli des types vivants dans la vase du fleuve. J'ai vu un officier empalé. T'as déjà vu ça, un type empalé ? N'insistons pas... Et des orateurs à tous les coins de rue... Et il fallait voir la joie du populo... Tout cet abattoir lui causait un vrai soulagement... Quelle haine ! Ah ! la domination des militaires, ils ne sont pas près de l'oublier... Chaque fois que des civils rencontraient un Yunnanais sans armes, c'était bien simple : ils l'assommaient. Après ils jetaient le cadavre dans le fleuve.

— Et Hsu, comment l'ont-ils reçu ?

— Un doigt dans leur nez, en regardant de l'autre côté. Ce qu'on appelle en chinois de la réserve. Une chose les a prodigieusement épatés : c'est que l'armée rouge, même après la victoire, n'a rien pillé. Quand Garine et Borodine ont fait décréter la peine de mort contre les pillards, j'ai pensé « Ah ! oui, va te faire voir ! » Erreur. Le décret est appliqué comme aux armées de la République.., D'ailleurs, en ce moment, les soldats sont payés, alors... Hsu n'a pas eu besoin d'en faire fusiller plus d'une dizaine. Ajoute que les officiers russes ont l'œil.

— Tu connais Borodine ?

— J'imagine Clémenceau comme ça, quand il avait quarante ou quarante-cinq ans. Beaucoup d'expérience. La seule chose qu'on puisse lui reprocher, c'est d'aimer un peu trop les Russes.

— Garine ?

— C'est un homme habile, ça, on ne peut pas dire le contraire. Ces temps derniers, il a fait une chose épatante : il a transformé les grévistes de Canton (qui vivent des allocations que Borodine et lui sont parvenus à leur faire verser par le Gouvernement) en agents actifs de propagande. Une armée !... Mais avec Borodine on sait où on va. Il commence à avoir une gueule de cadavre, Garine ! Paludisme, dysenterie, est-ce que je sais ? Les copains disent qu'il ne se soigne pas, vu que ça le barbe. C'est peut-être pas vrai... En tous cas, à Canton, les toubibs disent qu'il devrait rentrer en Europe, et que s'il reste encore quelque temps il nous lèguera ses os. Ils sont tous plus ou moins malades, à Canton, évidemment. On m'a dit que sa tête était mise à prix par Tcheng-Tioung-Ming pour 100.000 dollars que les Anglais se seraient engagés à verser — quels impatients ! — C'est peut-être une blague. Ce qui est sûr et certain, c'est que l'Intelligence Service a promis trente mille dollars. C'est déjà joli.

— Et la tienne ?

— On dirait qu'ils prennent des ménagements. Je serais stupéfait de ne pas être encore expulsé, si je ne connaissais pas les sires... Ils doivent me préparer quelque chose de mieux. Enfin, je prends les précautions d'usage...

— J'ai été assez étonné de pouvoir entrer...

— Même remarque.

— A moins qu'ils ne soient pas prévenus. Je suis bardé de passeports en règle.

— Enfant folâtre ! Môme touchant ! Viens voir un peu.

Nous montons au premier étage, où les fenêtres sont bouchées par d'épaisses nattes.

« A côté de la marchande de soupe et de cannes à sucre, la vieille en bleu, tu vois les deux éphèbes à gueules de casoars ? Oui. Bon. Ceux-là sont pour moi. Et le troisième Adonis au casque cabossé, je te le donne.

C'est vrai. Je crois le reconnaître. C'est ce Chinois qui, à mon arrivée, faisait claquer ses socques dans la rue déserte... Nous descendons.

« Encore de la menthe, hein ? On n'est pas mal dans un fauteuil, à cette heure-ci... Ah ! tiens, prends les papelards. Comme ça, tu seras sûr de ne pas les oublier. Une bonne idée qu'ils ont eue, les Anglais, de faire assurer le service Hongkong-Canton par un équipage de la flotte de guerre ! Klein va s'amener tout à l'heure : vous partez ensemble. Il ne devait partir que dans quelques jours, mais il est repéré, et il faut qu'il file en vitesse, si j'en crois les tuyaux de la Sûreté. Moi-même, je n'en ai sans doute plus pour longtemps...

— Tu es certain que je ne serai pas fouillé ce soir au départ ?

— Pas de raison : tu es en transit, et ils savent que tes papiers sont en règle. Ils savent aussi que fouiller et rien, c'est la même chose. Prends toujours tes précautions, bien entendu... Pour avoir des résultats, il faudrait qu'ils te coffrent, et de ce côté-là, pas de danger.

— C'est curieux...

— Non, c'est simple, ils ne veulent pas risquer de tomber sur le manche. Puis, ils préfèrent l'*Intelligence Service* et, au besoin, les interven-

tions en douce. Et ils ont raison. Enfin leur situation est très spéciale : légalement, ils ne sont pas
en guerre avec Canton.

— Ils auraient pu donner des ordres à la Compagnie de Navigation et faire dire que toutes les
places étaient prises ?

— J'ai fait prendre vos billets il y a cinq jours.
Klein n'était pas arrivé et tu n'étais pas encore
signalé d'une façon précise. Ils pourraient essayer
maintenant de trouver quelque chose, mais ils ne
tiennent pas tellement à vous conserver : ils vous
trouvent plutôt moches...

« Dis donc, tu ne le connais pas, Klein ? Non,
puisque tu arrives... »

Le ton dont cette phrase est dite est tel que je
demande :

— Qu'est-ce que tu lui reproches ?

— Faut être juste... Il a fait des années de
bagne pour la cause. Il commandait avec... les
troupes rouges qui ont pris le Baron Ungern-
Sternberg (et Sternberg a eu de la veine de tomber
entre ses pattes... Il n'a été que fusillé !) Il est un
peu drôle... Mais, comme professionnel, il est vraiment bon. Je viens de le voir travailler, eh ben !
mon ami, tu peux me croire : il sait ce que c'est
que des déclanchements successifs de grèves.

« A propos de boulot, je voulais te dire tout à
l'heure que l'un des moments où Garine s'est
montré réellement à la hauteur, c'est quand il a
organisé l'école des Cadets. Là, il n'y a pas à rigoler. J'admire. Faire un soldat avec un Chinois,
ça n'a jamais été facile. Avec un Chinois riche,
encore moins. Il est arrivé à recruter un millier

d'hommes, de quoi former les cadres d'une petite
armée. Dans un an, ils seront dix fois plus, et alors,
je ne vois pas bien quelle armée chinoise on pourra
leur opposer... Celle de Tchang-Tso-Lin, peut-
être... Pas très sûr. Quant aux Anglais, s'ils veulent jouer au corps expéditionnaire (à supposer
que les camarades de là-bas soient assez moules
pour les laisser partir), on pourra s'amuser... Les
réunir, les cadets, ce n'était rien : il leur a donné
des titres, des insignes, il les a fait respecter...
Enfin ça pouvait se faire. Mais il leur a fait connaître l'existence du vice peu connu en Chine
qui s'appel e courage. Je m'incline : moi, je n'y
serais certainement pas arrivé. Je sais bien qu'il
a été beaucoup aidé par Gallen et surtout par le
commandant de l'école, Chang-Kaï-Shek. C'est lui,
Chang, qui a recruté avec Garine les premiers cadres
sérieux. Il a fait ça, tiens ! comme les Anglais ont
fait cette ville-ci : homme à homme, courage à courage, en sollicitant, en exigeant, en faisant agir. Et
ça ne devait pas être rigolo... Aller trouver des
magots à l'ongle du petit doigt long comme ça, pour
arriver à leur extirper leurs mômes... Je vois ça
d'ici !... Ce qui l'a aidé, ç'a été l'envoi à Whampoa
d'un fils de l'ancien vice-roi. Puis, sa propre
famille, je crois... Enfin c'est très bien. Et mettre
dans la tête des gens que les cadets ne sont pas
des soldats, mais les serviteurs de la Révolution,
c'est aussi très bien. Le 25, on a vu les résultats à
Shameen.

— Pas si brillants...

— Parce qu'ils n'ont pas pris Shameen ? Penses-
tu qu'ils voulaient la prendre !

— Tu as des renseignements sérieux là-dessus ?

— Tu en auras là-bas. Je crois que cela visait surtout Tcheng-Daï. Celui-là, il doit être de plus en plus nécessaire de le mettre en face d'un fait accompli. Enfin c'est à voir. Ce qui est tout vu, c'est que lorsque les mitrailleuses ont commencé à tirer sur les nôtres, la foule a foutu le camp, comme d'habitude, mais une cinquantaine de types se sont jetés dessus : des cadets. On les a retrouvés à trente mètres des mitrailleuses — par terre, comme de juste. J'ai une vague idée que quelque chose a changé en Chine ce jour-là.

— Pourquoi l'attaque de Shameen aurait-elle été dirigée contre Tcheng-Daï ?

— J'ai dit : peut-être. J'ai l'impression que nous ne sommes plus très bien ensemble, et je me méfie singulièrement de son ami le Gouverneur Wou-Hon-Min.

— Gérard était déjà inquiet...

— L'influence de Tcheng-Daï est hors de doute, mais je ne crois pas qu'elle nous soutienne longtemps encore.

— Pourquoi ?

— Difficile à expliquer... Toujours l'histoire de Gandhi et des chefs musulmans. Il nous juge trop violents, trop catégoriques, trop... trop peu soucieux de la justice, voilà.

— Est-ce que sa popularité est toujours aussi grande ?

— Il paraît qu'elle a beaucoup diminué ces derniers temps...

— Mais quelle est sa fonction ?

— Il n'a pas de fonction. Si : président d'un tas de sociétés secrètes... Mon vieux, quand Gandhi, qui n'avait pas de fonction, a ordonné le Hartal, dit aux Hindous de faire grève, quoi, la première fois, ils ont tous quitté leur travail malgré l'arrivée du prince de Galles, et le prince a traversé Calcutta comme si c'était l'école des sourds-muets. Beaucoup d'Hindous, après, ont perdu leur travail et sont plus ou moins morts de faim, forcément. Mais quand même. Ici, les forces morales, c'est aussi vrai, aussi sûr que cette table ou ce fauteuil...

— Mais Gandhi est un saint.

— C'est possible : ils n'en savent rien. Gandhi est un mythe, voilà la vérité. Tcheng-Daï aussi. Il ne faut pas chercher des gens comme ça en Europe...

— Et le gouvernement ?

— De Canton ?

— Oui.

— Une espèce de fléau de balance qui oscille, en s'efforçant de ne pas tomber, de Garine et Borodine qui tiennent police et syndicats à Tcheng-Daï qui ne tient rien, mais n'en existe pas moins... L'anarchie, mon vieux, c'est quand le Gouvernement est faible, ce n'est pas quand il n'y a pas de Gouvernement. D'abord, il y a toujours un Gouvernement ; quand ça ne va pas, il y en a plusieurs, voilà tout. Celui-ci, de gouvernement, Garine veut l'engager jusqu'au cou : il veut lui faire promulguer son sacré décret. Sûr que ça leur fout la trouille, aux Anglais ! Hongkong sans bateaux pour y faire escale, Hongkong interdit

aux bateaux qui vont en Chine, c'est un port foutu,
crevé ! Pense : quand il en a été question, ils ont
aussitôt demandé l'intervention militaire, ici.
Alors !.,. S'il y arrive, il sera malin, Garine. Mais
c'est calé... c'est calé...

— Pourquoi ?

— Ben... difficile à **dire**. Le Gouvernement,
tu comprends, voudrait bien exister à côté
de nous, même au-dessus si possible ; il a
peur de se faire bouffer, s'il nous suit trop loin,
soit par les Anglais soit par nous. Ils ont tant de
galette, les Anglais ! Si l'on ne se battait que contre
Hongkong ; mais l'intérieur ! L'intérieur ! C'est
par là qu'ils espèrent nous avoir... Il faut voir ça
de près... »

Il se tait. Nous buvons nos grands verres de
menthe dans un silence rare sous les tropiques,
et que ne trouble pas même le ventilateur arrêté.
Silence sans cris chantants de marchands ambulants, sans pétards chinois, sans oiseaux, sans
cigales. Rien. Un vent très léger venu de la baie
incline mollement les nattes tendues au travers
des fenêtres, découvre un triangle de mur blanc
couvert de lézards endormis, et apporte l'odeur
de la route dont le goudron cuit ; parfois, seul,
l'appel d'une sirène lointaine, solitaire et comme
étouffé, monte de la mer...

Vers cinq heures, visiblement las, Klein arrive et
se laisse aussitôt tomber d'un coup, les mains sur
les genoux, dans un fauteuil dont le rotin grince
sous son poids. Il est grand, large d'épaules, et
son visage très particulier me surprend : on ren-

contre souvent ce type en Angleterre, mais non
en Allemagne. Dans ces yeux clairs surmontés de
sourcils touffus, ce nez écrasé et cette barre formidable de la bouche tombante, prolongée par
des rides profondes qui, du nez, rejoignent le
menton, dans ce large visage plat, dans ce cou
massif, il y a du boxeur, du dogue et du boucher.
Sa peau, en Europe, était sans doute très rouge, car
ses joues portent des petits signes de couperose ;
ici elle est brune, comme celle de tous les Européens. Il s'exprime d'abord en français, avec un
fort accent de l'Allemagne du Nord qui donne à
sa voix un peu enrouée un ton chantant, presque
belge ; mais, très fatigué, il s'exprime avec beaucoup de peine, et prend bientôt le parti de parler
allemand. Meunier, de temps à autre, résume en
français leur conversation :

La grève générale de Canton, destinée à affermir
le pouvoir des chefs violemment révolutionnaires,
à affaiblir la puissance des modérés et, en même
temps, à atteindre à Canton même, chez les riches
marchands opposés au Kuomintang et qui font
du commerce avec les Anglais, la source principale de la richesse de Hongkong, dure depuis
quinze jours déjà ; Borodine et Garine sont obligés
de faire vivre près de cinquante mille hommes
sur les fonds de grève, c'est-à-dire sur les impôts
levés à Canton et les fonds envoyés par les
innombrables Chinois révolutionnaires des « colo-
nies ». L'ordre de grève générale à Hongkong, faisant cesser le travail de plus de cent mille ouvriers,
oblige le Gouvernement Cantonais à allouer un
salaire de grève à un tel nombre de travailleurs

que les fonds destinés à ces salaires seront épui-
sés dans quelques jours ; déjà les allocations ne
sont plus données aux manœuvres. Or, dans cette
ville où la police secrète anglaise a été jusqu'ici
impuissante à détruire les organisations cantonaises, la police des rues, assurée par les volontaires armés de mitrailleuses, est trop forte pour
permettre le triomphe d'une émeute. Les mouvements de violence qui ont eu lieu ces jours
derniers ont été limités à des bagarres. Les
ouvriers devront donc reprendre le travail, — ce
qu'attendent les Anglais.

Garine, qui est actuellement chargé de la direction générale de la propagande, n'ignore pas plus
que Borodine à quel point le moment est critique,
à quel point cette grève colossale, malgré sa
puissance qui frappe de stupéfaction tous les
Blancs d'Extrême-Orient, est menacée d'écroule-
ment. Tous deux disposent d'autres armes contre
l'Angleterre, car ils ont toujours considéré la grève
de Hongkong comme un mouvement provisoire :
mais ils ne peuvent agir qu'à titre de chefs
d'organisations particulières (comme les Comités
de la Convention) et ils se trouvent en face de
l'opposition formelle du Gouvernement à décréter
les mesures sur lesquelles ils comptaient. Tcheng-
Daï use, dit Klein, de toute son influence pour
les empêcher d'agir. D'autre part, le mouvement
anarchiste se développe de la façon la plus dangereuse — ce qu'il était facile de prévoir — et une
série d'attentats terroristes a commencé à Canton même. Enfin, le vieil ennemi du Kuomintang, le général Tcheng-Tioung-Ming, grâce aux

subventions des Anglais, est en train de lever une
nouvelle armée pour marcher sur la ville.

*
* *

Six heures. Le ponton d'embarquement. Le ciel
et les choses ont maintenant une couleur, non un
éclat. Aux extrêmités de la vaste courbe des terres
jaunes, au-dessus des magasins chinois, de minces palmiers qui toute la journée semblaient se
dessécher lentement commencent à vivre. En face,
quelques cheminées des usines de Kowloon, parmi
vingt autres qui semblent mortes, s'appliquent
paresseusement à noircir l'horizon rafraîchi. Les
deux bateaux-mouches de service (dirigés par des
matelots de la Marine de guerre) se croisent avec
lenteur devant un ilôt. Le long du ponton, les
sampans abandonnés ne bougent pas. Et les grands
paquebots immobiles sont toujours encastrés dans
la dure surface de la baie.
Mais, près de notre bateau, quel vacarme ! Se
heurtant, se bousculant les uns et les autres, des
Chinois vêtus de toile blanche, par centaines, hurlent. Les hommes, appuyés sur leur parapluie,
font tomber les femmes aux petits pieds chaussés
de mules rouges. Des domestiques passent, portant sur leurs épaules des malles de bois ou de
tôle aux serrures à musique. A l'écart, près d'un
pilier, un groupe de jeunes Chinoises en pantalon noir et en corsage clair attendent qu'on les
conduise au bateau. Appels de la sirène, brouhaha
sur le ponton, cris des jeunes femmes...
Après avoir pris possession de ma cabine, je

remonte. Klein, fatigué, s'est étendu sur sa couchette. Nous partons. A demi couché dans un fauteuil profond, je regarde tourner dans le crépuscule Hongkong qui peu à peu s'allume... Le feu d'artifice immobile de toutes les lumières du rocher commence à apparaître, pâle, en même temps que de grosses étoiles encore blanches, sur le ciel qui rapidement se décolore.

Naguère, il y avait beaucoup plus d'enseignes et d'annonces lumineuses, m'a-t-on dit : les symboles du commerce, un à un, tombent comme des portants de théâtre. Cette race chinoise dont l'action ici s'étend de jour en jour, à mesure que les enseignes éclatantes s'éteignent, cette race qui se défend avec des mots d'ordre et des petites affiches, que connais-je d'elle, à part ce beau ciel assombri qui m'entoure ? Sa culture, sa révolte. Sa culture n'a pas de place ici. Comme la nôtre elle est lointaine, satellite des capitales. Sa révolte ?... Dans mon souvenir, les villes se recréent en fonction de leur instinct révolutionnaire : Singapour placide, joviale en apparence, avec ses Chinois serrés dans l'île comme dans une prison et les cent mille adhérents de ses associations secrètes ; Saïgon et Cholon banlieusardes, avec leur minable animation nocturne, leurs innombrables globes électriques pleins d'insectes, et cette atmosphère unique dans laquelle l'hostilité lutte avec le sommeil ; Hongkong où le sommeil n'existe plus, et qui montre comment, de la passivité, de l'indifférence et du silence, une ville chinoise parvient à faire de la haine...

Reste Canton.

Je ne vois plus maintenant de l'île qu'une silhouette où sont piquées d'innombrables petites lumières, et qui diminue lentement, noire sur le ciel sans force. Les immenses figures de publicité se découpent au-dessus des maisons. Publicité des plus grandes sociétés anglaises, qui, il y a un mois encore, dominaient la ville de tous leurs globes allumés. L'électricité devenue précieuse ne les anime plus, et les couleurs dont elles sont peintes disparaissent dans le soir : instruments faussés, machines rouillées. Un brusque tournant les remplace soudain par un pan nu de la côte montagneuse de Chine, argileuse et rongée d'une herbe courte dont les taches déjà disparaissent dans la nuit criblée de moustiques, comme il y a trois mille ans. Et l'obscurité remplace cette île rongée par d'intelligents tarets qui lui laissent son aspect impérial, mais ne lui permettent plus de dresser sur le ciel, symboles éteints de ses richesses, que de grands signes noirs...

Le silence. Le silence absolu, et les étoiles. Des jonques passent, un peu au-dessous de nous, portées par le courant que nous remontons, sans un son, sans un visage. Plus rien de terrestre dans ces montagnes confuses qui nous entourent, dans cette eau qui ne bruit ni ne clapote, dans ce fleuve mort qui s'enfonce dans la nuit comme un aveugle ; rien d'humain dans ces barques que nous croisons, sinon peut-être des lanternes qui luisent si faiblement à l'arrière qu'elles se reflètent à peine...

« ... L'odeur n'est pas la même... »

La nuit est tout à fait venue. Klein est à côté de moi. Il parle français, presque à voix basse :

« Pas la même... As-tu voyagé la nuit, sur des rivières ? En Europe, je veux dire.

— Oui...

— Comme c'est différent, n'est-ce pas, comme c'est différent !... Le silence de la nuit, chez nous, est la paix... La paix !... Ici... On attend des coups de mitrailleuse, hein ? »

C'est vrai. C'est une nuit de trêve ; on devine que ce silence est plein d'armes. Klein me montre des feux tremblottants, presque imperceptibles :

« Ce sont les nôtres...

Il parle toujours très bas, sur un ton de confidence.

« On ne voit rien par ici : on n'allume plus... Regarde. Sur le banc. En étalage. »

Derrière nous, sur le pont, une dizaine de jeunes Anglais, dont les Compagnies possèdent des succursales à Shameen et qui vont aider les volontaires, assis en demi-cercle autour de deux jeunes femmes envoyées, dit-on, par un journal (ou par la Sûreté ?...) font assaut d'anecdotes : « ... il avait fait demander à Moscou un cercueil de cristal semblable à celui de Lénine, mais les Russes en ont envoyé un de verre... (il s'agit de Sun-Yat-Sen, sans doute). Une autre fois... »

Klein hausse les épaules :

« Ceux-là sont seulement idiots...

Il pose sa main sur mon bras, et me regarde :

« Pendant la Commune de Paris, tu sais, on arrête un gros. Alors, il crie : « Mais, Messieurs,

je n'ai jamais fait de politique ! — Justement ! »
lui répond un type de sens. Et il lui casse la tête.
   — C'est-à-dire ?
   — Ça ne peut pas s'expliquer facilement, surtout
en français... Pas toujours aux mêmes à souffrir.
Je me souviens d'une fête, autrefois, où je regardais des... êtres qui ressemblaient à ceux-ci. Ah !
quelques balles de revolver, pour casser ce...
je ne sais pas dire, ce... sourire, quoi ! L'aspect de
toutes ces gueules de gens qui n'ont jamais été
sans bouffer ! Oui, faire savoir à ces gens-là qu'une
chose, qui s'appelle la vie humaine, existe ! C'est
rare, *ein mensch*... un homme, quoi ! »
   Je me garde bien de répondre. Parle-t-il par
sympathie ou par besoin ? pour moi, ou pour lui-
même ? Sa voix basse est sans timbre, et l'accom-
pagnement fin des moustiques la rend presque
rauque. Ses mains tremblent : il n'a pas dormi
depuis trois jours. Il est à demi-ivre de fatigue.
   A l'arrière, séparés de nous par une grille que
gardent, carabine sous le bras, deux soldats hindous à turbans, les passagers chinois jouent et
fument en silence. Klein, qui s'est retourné, regarde
les barreaux épais de la grille.
   « Au bagne, sais-tu comment les épreuves les
plus... abominables, on les supporte ? ou les plus
basses ?... Je pensais constamment que j'empoison-
nerais la ville. Ça je pouvais faire ; j'aurais pu
atteindre les réservoirs, après ma libération ; je
savais que j'aurais pu avoir de grandes quantités
de cyanure... par un ami... électricien... Quand je
souffrais trop, alors je songeais aux moyens à
employer, j'imaginais la chose... Ensuite ça allait

mieux. Le condamné, l'épileptique, le syphilitique,
le mutilé : pas comme les autres. Ceux qui ne
peuvent pas accepter...

Une poulie qui vient de tomber sur le pont, et
qui résonne encore, l'a fait sursauter. Il reprend
sa respiration et continue, amèrement :

— Je suis trop nerveux, cette nuit... Tellement
esquinté !

« Le souvenir de ces choses-là reste. Au fond de
la misère, il y a un homme, souvent... Il faudrait
garder cet homme-là après que la misère est
vaincue... C'est difficile...

« La Révolution, pour eux, tout le monde,
qu'est-ce que c'est ? La *stimmung* de la Révolution
— tellement important ! — qu'est-ce que c'est ?
Je vais te dire : on ne sait pas. Mais c'est d'abord
parce qu'il y a trop de la misère, pas seulement
manque d'argent, mais... toujours, qu'il y a ces
gens riches qui vivent et les autres qui ne
vivent pas... »

Sa voix s'est affermie : des deux coudes il est
solidement appuyé au bastingage encore chaud,
et il accompagne la fin de sa phrase d'un mouvement en avant de ses larges épaules, comme
d'autres frapperaient du poing :

« Ici, c'est changé ! Quand les volontaires marchands ont voulu ramener l'état ancien, leur
quartier a brûlé trois jours. Des femmes aux petits
pieds qui couraient comme des pingoins. Après,
c'était plein de morts, encore une fois...

Il s'arrête un instant, le regard perdu. Puis il
répète :

« Plein... Et tout ça, c'est toujours aussi bête...

Ceux de Münich, ceux d'Odessa... Beaucoup d'autres... Toujours aussi bête...

Il prononce : bbête, avec dégoût.

« Ils sont là comme des lapins, ou comme dans les images. Ce n'est pas tragique, non... C'est bbête... Surtout quand ils ont des moustaches. Il faut se dire que ce sont de vrais hommes tués... On ne croirait pas... »

De nouveau, il se tait, tout le corps portant sur la bastingage, écroulé. Les moustiques et les insectes, autour des lumières voilées du pont, sont de plus en plus nombreux. On devine, sans les voir, les berges et la rivière d'ombre où ne scintillent que les reflets de nos ampoules électriques, collés au bateau. Çà et là, maintenant, de hautes formes tachent confusément le ciel nocturne : des filets dressés de pêcheurs, peut-être...

— Klein ?

— Was ? Quoi ?

— Pourquoi ne te couches-tu pas ?

— M'en fous... Trop fatigué. Fait trop chaud en bas...

Je vais chercher une chaise longue et la dresse à côté de lui. Il s'y étend lentement, sans un mot, incline la tête sur son épaule et devient immobile, pris par le sommeil ou l'abrutissement. Sauf l'officier de quart, les sentinelles hindoues et moi, tous sont couchés ; les Chinois, de l'autre côté de la grille, sur leurs malles, les blancs sur des chaises longues ou dans leurs cabines. On n'entend plus, lorsque descend le bruit des machines, que des dormeurs qui ronflent, et un vieux Chinois qui tousse, tousse, pris de quintes sans fin

parce que les boys ont allumé partout les bâtonnets d'encens qui chassent les moustiques.

J'ai dormi pendant une heure. Je m'éveille,
fatigué, la bouche empâtée, les paupières collées.
Impossible de dormir plus longtemps ; impossible
aussi de me réveiller tout à fait. Je me lève lourdement, et fais quelques pas sur le pont. Le silence
— à l'exception du bruit des machines — est maintenant absolu. Je n'entends plus même ces quintes
de toux qui traversaient de façon exaspérante
l'engourdissement de mon premier sommeil...
L'odeur des bâtonnets d'encens semble avoir envahi
tout le bateau. Klein dort. Une bouffée d'air frais
me pénètre comme un brouillard et me fait fris-
sonner...

Je me réfugie dans ma cabine. Mais l'hébétude
du mauvais sommeil m'y poursuit : migraine, las-
situde, frissons... Je me débarbouille à grande eau
(non sans peine : les robinets sont minuscules) je
mets le ventilateur en marche, j'ouvre le hublot.
Bien.

Assis sur ma couchette, désœuvré, je sors de
mes poches, un à un, les papiers qui s'y trouvent.
Des réclames de pharmacies tropicales, de vieilles
lettres, du papier blanc orné du petit drapeau tri-
colore des Messageries Maritimes... Tout cela, déchi-
queté avec un soin d'ivrogne, est envoyé par le
hublot dans la rivière. Dans une autre poche,
d'anciennes lettres de celui qu'ils appellent Garine.
Je n'ai pas voulu les laisser dans ma valise, par

prudence... Et ceci ? C'est la nomenclature des papiers qui m'ont été confiés par Meunier. Voyons. Il y a bien des choses... Mais en voici deux que Meunier a mises à part dans la nomenclature même : la première est la copie d'une note de l'*Intelligence Service* relative à Tcheng-Daï, avec des annotations de nos agents. La seconde est celle de l'une des fiches de la Sûreté de Hongkong qui concernent Garine.

Après avoir fermé la porte à clef et poussé le verrou, je prends dans la poche de ma chemise la grosse enveloppe que Meunier m'a remise. Les deux pièces que je cherche sont les dernières. Ce Tcheng-Daï m'intrigue... La note qui le concerne est malheureusement très courte. Encre noire. En haut, à l'encre de stylo, d'une écriture rapide : Tcheng-Daï, et, en capitales, au crayon rouge : FRAGMENT. Un morceau du rapport d'un agent anglais, sans doute.

FRAGMENT

Confidentiel

Juin 1925.

Réponse à vos questions du 28.

I. — Rien à faire. Aucun homme n'est plus respecté des Cantonais.

II. — Assez brave pour se faire tuer, mais seulement pour cela.

III. — S'opposera *à coup sûr* aux prochaines propositions de Borodine.

IV. — Oui, semble déjà entouré et même menacé par les...

Au bas de la page, de la main de notre agent, comme *Tcheng-Daï*, les mots : *bientôt la suite.*

... Il me tarde d'être à Canton !

Voyons maintenant l'autre note. Elle est plus longue, et chiffrée. En haut de la première page : *transmis d'urgence.* Le chiffre est joint, d'ailleurs.

La curiosité et même une certaine inquiétude me poussant, je commence à traduire. Qu'est aujourd'hui cet homme dont j'ai été pendant des années l'ami le plus intime ? Je ne l'ai pas vu depuis cinq ans. Au cours de ce voyage, il n'est pas un jour qui ne l'ait imposé à mon souvenir, soit qu'on me parlât de lui, soit que son action fût sensible dans les radios que nous recevions... Je l'imagine, tel que je l'ai vu à Marseille lors de notre dernière entrevue, mais avec un visage formé par l'union de ses visages successifs ; de grands yeux gris, durs, presque sans cils, un nez mince et légèrement courbe (sa mère était juive) et surtout, creusées dans les joues, ces deux rides fines et nettes qui font tomber les extrémités des lèvres minces, comme dans nombre de bustes romains. Ce ne sont pas ces traits, à la fois aigus et marqués, qui animent ce visage, mais la bouche aux lèvres sans mollesse, aux lèvres tendues liées aux mouvements de la mâchoire un peu forte ; la bouche énergique, nerveuse...

Dans l'état de fatigue où je suis, les phrases que je traduis avec lenteur ordonnent mes souvenirs, et ils se groupent à leur suite. La voix domine. Il y a en moi, cette nuit, de l'ivrogne qui poursuit son rêve...

Pierre Garin, dit Garine ou Harine. Né à Genève le 5 Novembre 1892, de Maurice Garin, sujet suisse, et de Sophia Alexandrovna Mirsky, russe, son épouse.

Il est né en 1894... Se vieillit-il ?...

Anarchiste militant. Condamné pour complicité dans une affaire anarchiste à Paris en 1914.

Non. Il ne fut jamais « anarchiste militant ». En 1914 — à vingt ans — encore sous l'influence des études de lettres qu'il venait de terminer et dont il ne restait en lui que la révélation de grandes existences opposées (« Quels livres valent d'être écrits, hormis les *Mémoires* ? ») il était indifférent aux systèmes, décidé à choisir celui que les circonstances lui imposeraient. Ce qu'il cherchait parmi les anarchistes et les socialistes avancés, malgré le grand nombre d'indicateurs de police qu'il savait rencontrer chez les premiers, c'était une atmosphère spéciale, l'espoir d'un temps de troubles. Je l'ai entendu plusieurs fois, au retour de quelque réunion (où — ingénuité — il était allé coiffé d'une casquette de Barclay), parler avec une ironie méprisante des hommes qu'il venait de voir et qui prétendaient travailler au bonheur de l'humanité. « Ces crétins-là veulent avoir raison. En l'occurence, il n'y a qu'une raison qui ne soit pas une parodie : l'emploi le plus efficace de sa force. » L'idée était alors dans l'air, et elle se reliait au jeu de son imagination, tout occupée de Saint-Just.

On le croyait généralement ambitieux. Seule est réelle l'ambition dont celui qu'elle possède prend conscience sous forme d'actes à accomplir ; il était encore incapable de désirer des conquêtes successives, de les préparer, de confondre sa vie avec elles ; son caractère ne se prêtait pas plus que son intelligence aux combinaisons nécessaires. Mai il sentait en lui, tenace, constant, le besoin de la puissance, comme une maladie. « Ce n'est pas tant l'âme qui fait le chef que la conquête » m'avait-il dit un jour. Il avait ajouté, avec ironie : « Malheureusement ! » Et, quelques jours plus tard (il lisait alors le *Mémorial*) : « Surtout, c'est la conquête qui *maintient* l'âme du chef. Napoléon, à Saint-Hélène, va jusqu'à dire : « Tout de même, quel roman que ma vie ! »... Le génie aussi pourrit... »

Il savait que la vocation qui le poussait n'était point celle qui brille un instant, parmi beaucoup d'autres, à travers l'esprit des adolescents, puisqu'il lui faisait d'avance l'abandon de sa vie, puisqu'il acceptait tous les risques qu'elle impliquait. De la puissance, il ne souhaitait ni argent, ni considération, ni respect ; rien qu'elle-même. Si, repris par un besoin puéril de rêverie, il rêvait à elle, c'était de façon presque physique. Plus « d'histoires » ; une sorte de crispation, de force tendue, d'attente. L'image ridicule de l'animal ramassé, prêt à bondir, l'obsédait. Et il finissait par considérer l'exercice de la puissance comme un soulagement, comme une délivrance.

Il entendait se jouer. Brave, il savait que toute
perte est limitée par la mort, dont son extrême
jeunesse lui permettait de se soucier peu ; quant au
gain possible, il ne l'imaginait pas encore sous une
forme précise. Peu à peu, aux espoirs confus de
l'adolescence, une volonté lucide se substituait,
sans dominer encore un caractère dont la marque
restait la violence dans cette relative légèreté que
donne à la vingtième année la connaissance unique
de l'abstrait.

Mais il devait bientôt entrer en contact avec
la vie d'une façon brutale ; un matin, à Lausanne,
je reçus une lettre dans laquelle un de nos camarades m'informait que Pierre venait d'être inculpé
dans une grave affaire d'avortement ; et, deux
jours plus tard, une lettre de lui, où je trouvai
quelques détails.

Si la propagande en faveur du malthusianisme
était active dans les sociétés anarchistes, les sages-
femmes qui acceptaient de provoquer l'avortement par conviction étaient fort peu nombreuses
et un compromis intervenait : elles provoquaient
l'avortement « pour la cause » mais se faisaient
payer. Pierre, à maintes reprises, avait, mi par
conviction, mi par vanité, donné les sommes que
n'auraient pu trouver seules des jeunes femmes
pauvres. Il disposait de la fortune qu'il avait héri-
tée de sa mère, ce que néglige le rapport de police ;
on savait qu'il suffisait de s'adresser à lui : on le
sollicitait souvent. A la suite d'une dénonciation,
plusieurs sages-femmes furent arrêtées, et il fut
poursuivi pour complicité.

Son premier sentiment fut la stupéfaction. Il n'ignorait pas l'illégalité de ce qu'il faisait, mais le grotesque d'un jugement en cour d'assises, appliqué à de telles actions, le laissa désemparé. Il ne parvenait pas, d'ailleurs, à se rendre compte de ce que pouvait être un tel jugement. Je le voyais alors souvent, car on l'avait laissé en liberté provisoire. Les confrontations n'avaient pour lui aucun intérêt : il ne niait rien. Quant à l'instruction, menée par un juge à barbe, indifférent et préoccupé surtout de réduire les faits à une sorte d'allégorie juridique, elle lui semblait une lutte contre un automate d'une médiocre dialectique.

Un jour, il dit à ce juge qui venait de lui poser une question : « Qu'importe ? — Eh ! répondit le juge, cela n'est pas sans importance pour l'application de la peine... » Cette réponse le troubla. L'idée d'une condamnation réelle ne s'était pas encore imposée à lui. Et, bien qu'il fût courageux et méprisât ceux qui devaient le juger, il s'appliqua à faire intervenir en sa faveur auprès d'eux tous ceux qu'il put atteindre : jouer sa vie sur cette carte sale, ridicule, qu'il n'avait pas choisie, lui semblait monstrueux.

Retenu à Lausanne, je ne pus assister aux débats.

Il me dit plus tard que pendant toute la durée du procès, il eut l'impression d'un spectacle irréel ; non d'un rêve, mais d'une comédie étrange, un peu ignoble et tout à fait lunaire. Seul, le théâtre peut donner, autant que la Cour d'Assises, une impression de convention. Le texte du serment

exigé des jurés, lu d'une voix de maître d'école
las par le Président, le surprit par son effet sur
ces douze commerçants placides, soudain émus,
visiblement désireux d'être justes, de ne pas se
tromper, et se préparant à juger avec application.
L'idée qu'ils pouvaient ne rien comprendre aux
faits qu'ils allaient juger ne les troublait pas
un instant. L'assurance avec laquelle certains
témoins déposaient, l'hésitation des autres, l'attitude du président lorsqu'il interrogeait, (celle
d'un technicien dans une réunion d'ignorants)
l'hostilité avec laquelle il parlait à certains témoins à décharge, tout montrait à Pierre le peu de
rapport entre les faits en cause et cette cérémonie.
Au début, il fut intéressé à l'extrême : le jeu de
la défense le passionnait. Mais il se lassa, et, pendant l'audition des derniers témoins, il songeait
en souriant : « Juger, c'est de toute évidence, ne
pas comprendre, puisque si l'on comprenait, on
ne pourrait plus juger ». Et les efforts du Président et de l'Avocat général pour ramener à la
notion, commune et familière aux jurés, d'un
crime, la suite de ces événements, lui semblèrent
à tel point dignes d'une parodie qu'il se prit un
instant à rire. Mais la justice, dans cette salle,
était si forte, les magistrats, les gendarmes, la
foule étaient si bien unis dans un même sentiment
que l'indignation n'y avait point de place. Son
sourire oublié, Pierre trouva ce même sentiment
d'impuissance navrante, de mépris et de dégoût
que l'on éprouve devant une multitude fanatique,
devant toutes les grandes manifestations de l'absurdité humaine.

Son rôle de comparse l'irritait. Il avait l'impression d'être devenu figurant, poussé par quelque nécessité, dans un drame d'une psychologie exceptionnellement fausse, et acceptée par un public stupide ; écœuré, excédé, ayant perdu jusqu'au désir de dire à ces gens qu'ils se trompaient, il attendait avec une impatience mêlée de résignation la fin de la pièce qui le libérerait de sa corvée.

C'est seulement lorsqu'il se retrouvait seul dans sa cellule (où il avait été incarcéré l'avant-veille des débats) que le caractère réel, grave, de ces débats s'imposait à lui. Là, il comprenait qu'il s'agissait d'un jugement : que sa liberté était en jeu ; que toute cette comédie vaine pouvait se terminer par sa condamnation, pour un temps indéterminé, à cette vie larvaire. La prison le touchait moins depuis qu'il la connaissait ; mais la perspective d'un temps assez long passé ainsi, quelque adoucissement qu'il pût espérer faire apporter à son sort, n'était pas sans faire monter en lui une inquiétude d'autant plus lourde qu'il se sentait plus désarmé.

Condamné à six mois d'emprisonnement.

N'exagérons pas. Un télégramme de Pierre me fit savoir que le sursis lui était accordé.

Voici la lettre qu'il m'envoya :

« Je ne tiens pas la société pour mauvaise, pour susceptible d'être améliorée ; je la tiens pour absurde. C'est bien autre chose. Si j'ai fait tout ce que j'ai pu faire pour être acquitté par ces abrutis, ou, du moins, pour rester libre, c'est que j'ai de mon destin — pas de moi-même, de mon

destin — une idée qui ne peut accepter la prison
pour ce motif grotesque.

« Absurde. Je ne veux nullement dire : dérai-
sonnable. Qu'on la transforme, cette société, ne
m'intéresse pas. Ce n'est pas l'absence de justice
en elle qui m'atteint, mais quelque chose de plus
profond, l'impossibilité de donner à une forme
sociale, quelle qu'elle soit, mon adhésion. Je suis
a-social comme je suis athée, et de la même façon.
Tout cela n'aurait aucune importance si j'étais
homme d'étude ; mais je sais que tout le long de
ma vie je trouverai à mon côté l'ordre social, et
que je ne pourrai jamais l'accepter sans renoncer
à tout ce que je suis. »

Et, peu de temps après : « Il y a une passion plus
profonde que les autres, une passion pour laquelle
les objets à conquérir ne sont plus rien. Une passion
parfaitement désespérée — un des plus puissants
soutiens de la force ».

*Envoyé à la légion étrangère de l'armée française
en août* 1914, *déserte à la fin de* 1915.

Faux. Il ne fut pas envoyé à la légion : il s'y
engagea. Assister à la guerre en spectateur lui
parut impossible. L'origine du conflit, lointaine,
lui était indifférente. L'entrée des troupes alle-
mandes en Belgique lui sembla témoigner d'un
sens lucide de la guerre ; et, s'il choisit la légion, ce
fut seulement en raison de la facilité avec laquelle
il put y entrer. De la guerre, il attendait des
combats : il y trouva autre chose, l'immobilité
de millions d'hommes passifs dans le vacarme.
L'intention de quitter l'armée, qui couva longtemps en lui, devint une résolution un jour que

l'on distribua de nouvelles armes pour un nettoyage
de tranchées. Jusque-là, les légionnaires, à l'occasion, avaient reçu de courts poignards, qui semblaient être encore des armes de guerre ; ils reçu-
rent ce jour-là des couteaux neufs, à manche de
bois marron, à large lame, semblables, d'une
façon ignoble et terrible, à des couteaux de
cuisine...

Je ne sais comment il parvint à partir et à gagner
la Suisse ; mais il agit cette fois avec une grande
prudence, car il fut porté disparu. (C'est pourquoi
je vois avec étonnement cette mention de déser-
tion dans la note anglaise. Il est vrai qu'il n'a
aujourd'hui aucune raison de la tenir secrète...)

*Perd sa fortune dans diverses spéculations finan-
cières.*

Il fut toujours joueur.

*Dirige à Zurich, grâce à sa connaissance des
langues étrangères, une maison d'Editions pacifistes.
Entre ainsi en rapport avec des révolutionnaires
russes.*

Fils d'un Suisse et d'une Russe, il parlait l'allemand, le français, le russe, et l'anglais qu'il avait
appris au collège. Il ne dirigea pas une maison
d'éditions, mais le service des traductions d'une
société dont les éditions n'étaient pas, par principe, pacifistes.

Il eut, comme le dit le rapport de la police anglaise,
l'occasion de fréquenter quelques jeunes hommes
du groupe bolchevik. Il comprit vite qu'il avait
affaire cette fois, non à des prédicateurs, mais à
des techniciens. Le groupe était peu accueillant ;
seul, le souvenir de son procès, qui dans ce milieu

n'était pas encore oublié, lui avait permis de n'en
être pas reçu comme un importun ; mais n'étant
pas lié à son action (il n'avait pas voulu être membre du parti, sachant qu'il n'en pourrait supporter
la hiérarchie et ne croyant pas à la possibilité
d'une révolution prochaine en Russie) il n'eut
jamais avec ses membres que des relations de
camaraderie. Les jeunes hommes l'intéressaient
plus que les chefs, dont il ne connaissait que les
discours, ces discours prononcés sur le ton de la
conversation, dans des petits cafés enfumés,
devant une vingtaine de camarades affalés sur les
tables, et dont le visage seul exprimait l'attention.
Il ne vit jamais Lénine. Si la technique et le goût
de l'insurrection, chez les bolcheviks, le sédu -
saient, le fatras doctrinal qui les chargeait l'exas-
pérait. A la vérité, il était de ceux pour qui
l'esprit révolutionnaire ne peut naître que de la
révolution qui commence, de ceux pour qui la
Révolution est, avant tout : un état de choses.

Lorsque vint la Révolution russe, il fut stupéfait. Un à un, ses camarades quittèrent Zurich, lui
promettant de lui donner les moyens de venir en
Russie. S'y rendre lui semblait à la fois nécessaire et juste ; et, chaque fois qu'un de ses
camarades s'en allait, il l'accompagnait sans
envie, mais avec le sentiment obscur d'une spo-
liation.

Ce voyage en Russie, il le souhaita avec
passion à partir de la révolution d'Octobre ; il
écrivit ; mais les chefs du parti avaient autre
chose à faire que répondre à des lettres de Suisse.
Il en souffrait avec une triste rage ; il m'écri-

vait : « Dieu sait que j'ai vu des hommes passionnés, des hommes possédés par une idée, des hommes attachés à leurs gosses, à leur argent, à leurs
maîtresses, à leur espoir même, comme ils le sont
à leurs membres ; intoxiqués, hantés, oubliant
tout, défendant l'objet de leur passion ou courant
près !... Si je disais que je veux un million, on
penserait que je suis un homme envieux ; cent,
que je suis chimérique, mais peut-être fort ; et
si je dis que je considère ma jeunesse comme la
carte sur laquelle je joue, on a l'air de me prendre
pour un malheureux visionnaire. Et je joue ce
jeu-là, crois-moi, comme un pauvre type peut
jouer, à Monte-Carlo, la partie après laquelle il
se tuera s'il perd. Si je pouvais tricher, je triche-
rais. Avoir un cœur, un cœur d'homme, et ne pas
s'apercevoir qu'on explique cela à une femme qui
s'en fout, c'est très normal : on peut se tromper, là,
tant que l'on veut. Mais on ne peut pas se tromper
au jeu de la vie ; il paraît qu'il est simple, et que
fixer une pensée résolue sur sa destinée est moins
sage que la fixer sur ses soucis du jour, sur ses
espoirs ou sur ses rêves... Et ma recherche, je
saurai la conduire ; que je retrouve seulement le
prix du premier passage, que j'ai imbécilement
gaspillé !... »

*Envoyé à Canton à la fin de 1918 par l'Interna-
tionale.*

Idiot. Il avait connu au lycée un de mes camarades, Lambert, beaucoup plus âgé que nous,
dont les parents, fonctionnaires français, avaient
été les amis des miens, commerçants à Haïphong.
Comme presque tous les enfants européens de

cette ville, Lambert avait été élevé par une nourrice cantonaise, dont, comme moi, il parlait le dialecte. Il était reparti pour le Tonkin au début de 1914. Rapidement écœuré par la vie coloniale, il avait gagné la Chine, où il était devenu l'un des collaborateurs de Sun-Yat-Sen, et n'avait pas rejoint son corps à la déclaration de guerre. Il était resté en correspondance suivie avec Pierre ; il lui promettait depuis longtemps de lui fournir le moyen de venir à Canton. Et Pierre, bien qu'il ne fût pas convaincu de la valeur de cette promesse, étudiait les caractères chinois, non sans découragement. Un jour, en juin 1918, il reçut une lettre dans laquelle Lambert lui écrivait : « Si tu es résolu à quitter l'Europe, dis-le moi. Je puis te faire appeler ; 800 dollars par mois ». Il répondit aussitôt. Et à la fin de Novembre, après que l'armistice eût été signé, il reçut une nouvelle lettre qui contenait un chèque sur une banque de Marseille, et dont le montant était un peu supérieur au prix du passage.

⁀ Je disposais alors de quelque argent. Je l'accompagnai à Marseille.

Journée de lent vagabondage à travers la ville. Atmosphère méditerranéenne où tout travail semble consenti, rues éclairées par un pâle soleil d'hiver et tachées par les capotes bleues des soldats qui ne sont pas encore démobilisés... Les traits de son visage ont peu changé : les traces de la guerre se voient surtout sur ses joues, maintenant amaigries, tendues, sillonnées de petites rides verticales, et qui accentuent l'éclat dur des yeux gris, la courbe de la bouche mince et la profondeur des deux rides qui la prolongent.

Depuis longtemps nous marchons en causant. Un seul sentiment le domine, et c'est l'impatience. Bien qu'il la cache, elle se glisse sous tous ses gestes, et s'exprime involontairement dans le rythme saccadé de ses paroles.

« Comprends-tu vraiment ce que cela peut-être : le remords ? demanda-t-il soudain.

Je m'arrête, interloqué.

« Un vrai remords ; pas un sentiment de livre ou de théâtre : un sentiment contre soi-même — soi-même à une autre époque.

« Un sentiment qui ne peut naître que d'un acte grave — et les actes graves ne se commettent pas par hasard...

— Cela dépend.

— Non. Pour un homme qui en a fini avec les expériences d'adolescent, souffrir d'un remords, cela ne peut être que ne pas savoir profiter d'un enseignement... »

Et, constatant soudain ma surprise :

« Je te dis cela à propos des Russes. »

Car nous venons de passer devant une vitrine de librairie consacrée à des romanciers russes.

« Il y a une paille dans ce qu'ils ont écrit, et cette paille c'est quelque chose comme le remords. Ces écrivains ont tous le défaut de n'avoir tué personne. Si leurs personnages souffrent après avoir tué, c'est que le monde n'a presque pas changé pour eux. Je dis : presque. Dans la réalité, je crois qu'ils verraient le monde se transformer complètement, changer ses perspectives, devenir, non le monde d'un homme qui « a commis un crime »

mais celui d'un homme qui a tué. Ce monde
qui ne se transforme pas — disons : pas assez, si
tu veux — je ne peux pas croire à sa vérité.
Pour un assassin il n'y a pas de crimes, il n'y
a que des meurtres — s'il est lucide, bien
entendu.

— Idée qui va loin, si on l'étend un peu...

— Les idées ne sont pas faites pour être
étendues !

Et, après un silence, il reprend :

« Aussi excédé de soi-même que l'on soit, on
ne l'est jamais autant qu'on le dit. Se lier à une
grande action quelconque, et ne pas la lâcher,
en être hanté, en être intoxiqué, c'est peut-être... »

Mais il hausse les épaules et laisse là sa phrase.

— Dommage que tu n'aies pas la foi, tu aurais
fait un missionnaire admi...

— Non ! D'abord parce que les choses que
j'appelle bassesses ne m'humilient pas. Elles font
partie de l'homme. Je les accepte comme d'avoir
froid en hiver. Je ne désire pas les soumettre à
une loi. Et j'aurais fait un mauvais missionnaire
pour une autre raison : je n'aime pas les hommes.
Je n'aime pas même les pauvres gens, le peuple,
ceux en somme pour qui je vais combattre...

— Tu les préfères aux autres, cela revient au
même.

— Jamais de la vie !

— Quoi, jamais de la vie ? Tu ne les préfères
pas ou cela ne revient pas au même ?...

— Je les préfère, mais uniquement parce qu'ils
sont les vaincus. Oui, ils ont, dans l'ensemble,
plus de cœur, plus d'humanité que les autres :

vertus de vaincus... Ce qui est bien certain, c'est que je n'ai qu'un dégoût haineux pour la bourgeoisie dont je sors. Mais quant aux autres, je sais si bien qu'ils deviendraient abjects, dès que nous aurions triomphé ensemble... Nous avons en commun notre lutte, et c'est bien le plus clair...

— Alors, pourquoi pars-tu ?

Cette fois, c'est lui qui s'arrêta.

— Est-ce que tu serais devenu idiot ?

— Ça m'étonnerait : on s'en serait aperçu.

— Je pars parce que je n'ai pas envie de retourner faire l'imbécile devant un tribunal, pour une raison sérieuse cette fois. Ma vie ne m'intéresse pas. C'est clair, c'est net, c'est formel. Je veux — tu entends ? — une certaine forme de puissance ; ou je l'obtiendrai, ou tant pis pour moi.

— Tant pis si c'est manqué ?

— Si c'est manqué je recommencerai, là ou ailleurs. Et si je suis tué, la question sera résolue. »

Ses bagages avaient été portés à bord. Nous nous serrâmes fortement la main, et il se rendit au bar où il commença à lire, seul, sans pouvoir se faire servir. J'appelai un chauffeur. Sur le quai, des jeunes mendiantes italiennes chantaient, et leurs chansons m'accompagnèrent, tandis que je m'éloignais, avec l'odeur de vernis du paquebot récemment repeint.

Engagé par Sun-Yat-Sen avec le titre de « conseiller juridique » aux appointements de 800 $ par mois ; chargé, après notre refus de fournir des techniciens au Gouvernement de Canton, de la réorganisation et de la direction de la Propagande (son poste actuel).

Lorsqu'il était arrivé à Canton, il avait appris, en effet, avec un vif plaisir, qu'il devait toucher huit cents dollars mexicains chaque mois. Mais il comprit après trois mois que le paiement de la solde des militaires et des civils attachés au Gouvernement de Sun-Yat-Sen était fort incertain : chacun vivait de concussion ou de « combines ». En faisant délivrer des cartes d'agents secrets de propagande à des importateurs d'opium ainsi mis à l'abri des diverses polices, il gagna, en sept mois, une centaine de mille francs-or. La somme n'était pas considérable, mais elle lui permettait de ne plus craindre d'être pris à l'improviste par quelque difficulté. Et, trois mois plus tard, Lambert quitta Canton, lui laissant la direction de la Propagande, qui n'était alors qu'une caricature.

Ne souffrant plus de la précarité d'une position devenue solide, Pierre voulut transformer la Propagande, et faire d'un bureau d'opéra-comique une arme. Il institua un contrôle sérieux des fonds qui lui étaient confiés, et exigea de ses subordonnés de la loyauté : il fut obligé de les remplacer presque tous. Mais les nouveaux fonctionnaires, malgré les promesses de Sun-Yat-Sen qui suivait son effort avec beaucoup de curiosité, ne furent pas payés, et, pendant des mois, Pierre fut occupé à chercher, chaque jour, les moyens de payer ses agents. Il avait annexé à la Propagande la police politique : il obtint encore la haute direction des polices urbaine et secrète. Et, avec la plus grande indifférence à l'égard des décrets, il assura, par les taxes clandestines dont il frappa les importateurs d'opium, les tenanciers de maisons de jeu

et de prostitution, l'existence de la Propagande.
C'est pourquoi le rapport de police dit :
Individu énergique, mais sans moralité.
(Moralité me ravit)
*A su choisir des collaborateurs habiles, tous au
service de l'Internationale.*
La vérité est plus compliquée. Sachant que se
formait entre ses mains l'instrument dont il avait
si longtemps rêvé, il fit les plus grands efforts
pour empêcher sa destruction. Il n'ignorait pas
que, le cas échéant, malgré son affabilité, Sun
n'hésiterait pas à l'abandonner ; il agit avec aussi
peu de violence que possible, mais avec ténacité.
Il s'entoura de jeunes gens du Kuomintang, maladroits mais fanatiques, et qu'il parvint à instruire,
aidé par un nombre sans cesse croissant d'agents
russes, anciens soldats que la famine avait chassés de la Sibérie et de la Chine du Nord. Avant la
rencontre de Sun-Yat-Sen et de Borodine à Shanghaï, l'Internationale de Moscou avait fait pres-
sentir Pierre, lui rappelant les entretiens de
Zurich. Elle l'avait trouvé résolu à la servir : elle
seule lui semblait disposer des moyens nécessaires
à donner à la province de Canton l'organisation
révolutionnaire qu'il souhaitait, et à remplacer
par une volonté persévérante les velléités chinoises. Aussi usa-t-il du peu d'influence qu'il
avait sur Sun-Yat-Sen pour le rapprocher de la
Russie, et se trouva-t-il tout naturellement le
collaborateur et l'allié de Borodine, lorsque celui-
ci se rendit à Canton.
Pendant les premiers mois qui suivirent l'arrivée de Borodine, je compris, au ton des lettres de

Pierre, qu'il était extrêmement content ; puis, qu'une action puissante — enfin — se préparait ; puis les lettres devinrent plus rares, et c'est avec surprise que j'appris, que « le ridicule petit Gouvernement de Canton » entrait en lutte contre l'Angleterre et rêvait de reconstituer l'unité de la Chine.

Lorsque Pierre, après ma ruine, me donna la possibilité de venir à Canton comme Lambert la lui avait donnée à lui-même six ans plus tôt, je ne connaissais la lutte de Hongkong contre Canton que par les radios d'Extrême-Orient ; et les premières instructions que je reçus me furent données à Ceylan par un délégué du Kuomintang de Colombo, pendant l'escale. Il pleuvait comme il pleut sous les tropiques ; pendant que j'écoutais le vieux cantonais, l'auto dans laquelle nous étions assis filait sous les nuages bas ; le pare-bise complètement brouillé faisait sauter au passage, en claquant, les palmes ruisselantes. Il me fallait faire effort pour me persuader que les paroles que j'entendais exprimaient des réalités, des luttes, des morts, de l'angoisse... De retour à bord, au bar, encore étonné des discours du Chinois, j'eus la curiosité de relire les dernières lettres de Pierre, dont le rôle de chef commençait à devenir réel pour moi. Et ces lettres qui sont là, sur mon lit, ouvertes, font maintenant entrer dans cette cabine blanche, à côté de l'image trouble de mon ami, de tant de souvenirs nets ou désagrégés, un Océan battu d'une pluie oblique et bordé par la longue ligne grise des hauts plateaux de Ceylan surmontée de nuages immobiles et presque noirs...

« Tu sais combien je souhaite que tu viennes. Mais ne viens pas en croyant trouver ici la vie qui satisfait l'espoir que j'avais lorsque je t'ai quitté. La force dont j'ai rêvé et dont je dispose aujourd'hui ne s'obtient que par une application paysanne, par une énergie persévérante, par la volonté constante d'ajouter à ce que nous possédons l'homme ou l'élément qui nous manque. Peut-être seras-tu étonné que je t'écrive ainsi, moi. Cette persévérance qui me manquait, je l'ai trouvée ici chez des collaborateurs, et je crois l'avoir acquise. Ma force vient de ce que j'ai mis une absence de scrupules complète au service d'autre chose que de mon intérêt immédiat... »

J'ai vu chaque jour, en approchant de Canton, fficher les radios par lesquels il a si bien remplacé ses lettres...

Cette note de police est singulièrement incomplète. Je vois au bas de la page deux gros points d'exclamation au crayon bleu. Peut-être est-ce une note ancienne ? Les précisions fournies par la seconde feuille sont d'un tout autre ordre :

Assure aujourd'hui l'existence de la Propagande par des prélèvements sur les envois des coloniaux chinois et sur les cotisations des syndicats. Semble être pour beaucoup dans l'enthousiasme indéniable que rencontre ici l'idée d'une guerre contre des troupes anglaises. Est parvenu, à l'aide d'une prédication incessante, menée par ses agents, à faire accepter les syndicats obligatoires, — sur l'importance des-

quels je ne crois pas devoir insister, — lorsque
Borodine en demanda la création, avant de disposer
des piquets de grève. A fait des sept services de la
police, publique et secrète, autant de services de
propagande. A créé un « groupement d'instruction
politique » qui est une école d'orateurs et de propa-
gandistes. A fait rattacher au Bureau Politique,
et par là à l'Internationale, le Commissariat de
la Justice (ici encore, je ne crois pas devoir insister)
et celui des Finances. Enfin, je vous signale, et
j'insiste sur ce point, qu'il s'efforce actuellement
de faire promulguer le décret dont le seul projet a
fait demander par nous une intervention militaire
du Royaume-Uni : le décret qui interdit l'entrée
du port de Canton à tout bateau ayant fait escale
à Hongkong, et dont lord Shipperd a si bien dit
qu'il détruirait Hongkong aussi sûrement qu'un
cancer. Cette phrase est affichée dans plusieurs
bureaux de la Propagande.

Au dessous, cinq lignes sont soulignées deux fois
au crayon rouge.

Je me permets d'attirer tout spécialement votre
attention sur ceci : cet homme est gravement malade
il souffre, paraît-il de paludisme aigu et d'une forme
chronique de dysenterie. D'aucuns le disent perdu.
Quoi qu'il en soit, il sera obligé de quitter le Tro-
pique avant peu.

J'en doute.

DEUXIÈME PARTIE

PUISSANCES

Cris, appels, protestations, ordres des policiers,
la vacarme d'hier soir recommence. Cette fois c'est
le débarquement. A peine regarde-t-on Shameen
aux petites maisons entourées d'arbres. Tous obser-
vent le pont voisin protégé par des tranchées et
des fils de fer barbelés, et, surtout, les canonnières
anglaises et françaises toutes proches dont les
canons sont dirigés vers Canton. Un canot automobile nous attend, Klein et moi.

Voici la vieille Chine, la Chine sans Européens.
Sur une eau jaunâtre, chargée de glaise, le canot
avance comme dans un canal, entre deux rangs
serrés de sampans semblables à des gondoles
grossières avec leur toiture d'osier. A l'avant, des
femmes presque toutes âgées font cuire leur nourriture sur des trépieds, dans une intense odeur de
graisse brûlée ; souvent, derrière elles, apparaît
un chat, une cage ou un singe enchaîné. Les enfants
nus et jaunes passent de l'un à l'autre, faisant
sauter comme un plumeau plat la frange unique
de leurs cheveux, plus légers et plus animés que
les chats malgré leurs ventres en poire de man-
geurs de riz. Les tout petits dorment, paquets,

dans un linge noir accroché au dos des mères. La
lumière frisante du soleil joue autour des arêtes
des sampans et détache violemment de leur fond
brun les blouses et les pantalons des femmes,
taches bleues, et les enfants grimpés sur les toits,
taches jaunes. Sur le quai, le profil dentelé des
maisons américaines et des maisons chinoises :
au-dessus, le ciel sans couleur à force de lumière ;
et partout, partout, légère comme une mousse,
sur les sampans, sur les maisons, sur l'eau, cette
lumière dans laquelle nous pénétrons comme dans
un brouillard.

Nous accostons. Une auto qui nous attendait
nous emmène aussitôt à vive allure. Le chauffeur,
vêtu de l'uniforme de l'armée, fait ronfler sans
cesse son klaxon, et la foule reflue précipitam-
ment, comme poussée par un chasse-neige. A peine
ai-je le temps d'entrevoir, perpendiculairement à
notre course, une multitude bleue et blanche
— beaucoup d'hommes en robes — encadrée par
des perspectives de stores ornés de gigantesques
caractères noirs et constamment trouée par les
marchands ambulants et les manœuvres qui
avancent au pas gymnastique, le corps déjeté,
l'épaule courbée sous un bambou aux extrémités
duquel pendent de lourdes charges. Un instant,
apparaissent des ruelles aux dalles crevassées
qui finissent dans l'herbe devant quelque bastion
à cornes ou quelque pagode moisie. Et, dans
un coup de vent, nous distinguons en la croisant
l'auto d'un haut fonctionnaire de la République,
avec ses deux soldats, parabellum au poing,
debout sur les marchepieds.

Quittant le quartier commerçant de la ville,
l'auto s'engage sur un boulevard tropical bordé
de maisons entourées de jardins, sans prome-
neurs, où l'éclat blanchâtre et mat de la chaus-
sée brûlante n'est taché que de la silhouette clo-
pinante d'un marchand de soupe bientôt disparu
dans une ruelle. Klein, qui va chez Borodine, me
quitte devant une maison de style colonial — toit
débordant et verandahs — entourée d'une grille
semblable à celles qui ornent les châlets des envi-
rons de Paris : la maison de Garine La porte de
fer est poussée. Je traverse un petit jardin et parviens à une seconde porte gardée par deux soldats
cantonais en uniforme de toile grise. L'un prend
ma carte et disparaît. J'attends en regardant
l'autre : avec sa casquette plate et son parabellum à la ceinture, il me rappelle les officiers du
tsar ; mais sa casquette est rejetée sur l'arrière de
sa tête et il est chaussé d'espadrilles. L'autre
revient. Je peux monter.

Un petit escalier d'un étage, puis une pièce très
vaste, qui communique par une porte avec une
autre pièce où des hommes parlent à voix assez
haute. Cette partie de la ville est tout-à-fait silencieuse ; à peine entend-on par instants, derrière
les aréquiers dont les palmes emplissent deux
fenêtres, des trompes d'autos éloignées ; la porte
n'est bouchée que par une natte et je distingue
les paroles prononcées en anglais dans l'autre
chambre. Le soldat me montre la natte et s'en
va.

« .... que l'armée de Tcheng-Tioung-Ming s'or-
ganise...

Un homme, de l'autre côté de la natte, continue à parler, mais confusément...

— Je le dis depuis plus d'un mois ! D'ailleurs, Boro est aussi décidé que moi. Ce décret seul, tu entends (c'est maintenant la voix de Garine. Un poing frappe une table, martelant les mots) ce décret seul nous permettra de démolir Hongkong ! Il faut que ce sacré gouvernement se décide à s'engager...

— ...

— Fantôme ou non, qu'il marche, puisque nous avons besoin de lui.

— ...

— Eux- là-bas, ils réfléchiront : ils savent aussi bien que moi que ce décret fera crever leur port comme... »

Un bruit de pas. Des gens entrent et sortent. « Que proposent les Comités ? »

On remue des feuilles de papier.

— Pas grand'chose... (C'est une nouvelle voix qui parle). La plupart ne proposent même vraiment rien. En voici deux qui demandent l'augmentation des secours de grève et le maintien de l'allocation aux manœuvres. Celui-ci propose l'exécution des ouvriers qui ont les premiers repris le travail...

— Non. Pas encore.

— Pourquoi non ? (Voix chinoises, accent d'hostilité).

— La mort ne se manie pas comme un balai ! »

Je suis très embarrassé. Si quelqu'un sortait, j'aurais l'air d'un espion. Je ne peux cependant pas me moucher, ou me mettre à siffler ! Ma foi, poussons la natte et entrons.

Autour d'un bureau, Garine en tenue kaki d'officier et trois jeunes Chinois en veston blanc. Pendant que nous faisons connaissance, l'un des Chinois, très jeune, murmure :

« Il y a des personnes qui ont peur de se salir en touchant les balais...

— Il y avait bien des gens qui trouvaient Lénine peu révolutionnaire, répond Garine, se retournant d'un coup, la main encore posée sur mon épaule. Puis, s'adressant à moi :

« (Tu n'as pas rajeuni...) Tu viens de Hong-kong ? » et, sans même attendre ma réponse :

« Tu as vu Meunier, oui. As-tu les papiers ? »

Ils sont dans ma poche. Je les lui donne. Au même instant, un factionnaire entre, apportant une enveloppe gonflée ; Garine la passe à l'un des Chinois, qui traduit :

« Rapport de la section de Kuala-Lumpur. Elle attire notre attention sur les difficultés qu'elle rencontre actuellement pour réunir les fonds.

— Et en Indochine française ? me demande Garine.

— Je vous apporte six mille dollars réunis par le camarade Gérard. Il dit que les militants sont plus enthousiastes que jamais.

— Bon. Viens.

Il me prend par le bras, saisit son casque, et nous sortons.

— Nous allons chez Borodine : c'est tout près.

Nous longeons le boulevard aux trottoirs d'herbe roussie, silencieux, désert. Le soleil plaque sur la poussière blanche une lumière crue qui oblige presque à fermer les yeux. Garine m'interroge

sur mon voyage, rapidement, puis lit, en marchant,
le rapport de Meunier, inclinant les feuilles pour
atténuer la réverbération. Je le regarde Il a peu
vieilli, mais, sous la doublure verte du casque,
chaque trait porte l'empreinte de la maladie :
les yeux sont cernés jusqu'au milieu des joues ;
le nez s'est aminci encore ; les deux rides qui joignent les ailes du nez aux commissures des lèvres
ne sont plus les rides profondes, nettes, d'autrefois ; ce sont des rides larges, presque des plis, et
tous les muscles ont quelque chose à la fois de
fiévreux, de mou et de si fatigué que, lorsqu'il
s'anime, tous se tendent et l'expression de son
voyage change complètement. Autour de cette
tête qui avance, les yeux fixés sur le papier,
l'air, comme toujours à cette heure, tremble
devant la verdure dense d'où sortent des palmes
poussiéreuses. Je voudrais lui parler de sa santé ;
mais il a terminé sa lecture et dit, appuyant à son
menton le rapport dont il a fait un petit rouleau :

« Ça commence à aller assez mal, là-bas aussi.
L'esprit des sympathisants est moins bon, des
domestiques retournent à la niche. Et il faut
s'appuyer ici sur de jeunes crétins qui confondent
une action révolutionnaire avec le troisième acte
de l'Ambigu-Chinois... — Il est impossible d'attri-
buer des fonds plus élevés aux secours de grève,
impossible ! D'ailleurs ça ne changerait rien. Les
grèves malades, ça se soigne avec des victoires.

— Il ne propose rien, Meunier ?

— Il dit que l'esprit général n'est pas encore
mauvais : les faibles flanchent parce que l'Angleterre les menace, par l'intermédiaire de la

police secrète, de mesures de terreur, du réta-
blissement de la peine du fouet en particulier.
D'autre part, il transmet : « Nos comités chinois,
là-bas, proposent de faire enlever en vitesse deux
ou trois cents gosses appartenant aux coupables
ou aux suspects. On les transporterait ici, on les
traiterait bien, mais on ne les rendrait qu'aux
parents qui viendraient les chercher. Evidemment,
ils ne retourneraient pas à Hongkong demain...
C'est précisément le moment de villégiatures,
ajoute-t-il. Ça porterait les autres à réfléchir. »
Ce n'est pas avec des procédés de ce genre que
nous irons loin... »

Nous arrivons. La maison est semblable à celle
de Garine, mais jaune. Au moment où nous allons
entrer, Garine s'arrête et salue militairement
un petit vieillard chinois qui sort. Celui-ci étend la
main vers nous : nous nous approchons.

— Monsieur Garine, dit-il en français, lentement, d'une voix faible, j'étais ici dans le dessein de
vous rencontrer. Je crois qu'un entretien entre
nous serait une chose bonne. Quand pourrai-je
vous trouver ?

— Monsieur Tcheng-Daï, quand il vous plaira.
J'irai vous voir cette...

— Non, non, répond-t-il, tapotant l'air de la
main comme s'il voulait calmer Garine, je passerai, je passerai. Cinq heures, cela vous convient-il ?

— Entendu ; je vous attendrai. »

Dès que j'ai entendu prononcer son nom, je l'ai
regardé attentivement. Son visage, comme celui
de nombre de vieux lettrés, fait songer à une tête
de mort. Cela tient à la saillie de ses pommettes,

qui ne laisse voir de sa face que les deux taches
profondes et sombres des orbites, un nez imper-
ceptible et les dents, surtout lorsqu'on la voit à
quelque distance. De près, ses yeux, qui sont
allongés, s'animent : son sourire se relie à l'extrême
courtoisie de sa parole, à la distinction de sa voix ;
tout cela atténue sa laideur et en modifie le caractère. Il enfonce ses mains dans ses manches à la
façon d'un prêtre, et accompagne ses paroles de
légers mouvements des épaules en avant. J'ai
songé un instant à Klein, qui, lui aussi, s'exprime
avec tout son corps ; et ce Tcheng-Daï m'a paru
plus fin encore, plus âgé, plus subtil. Il est vêtu
d'un pantalon et d'une vareuse militaire au col
empesé, en toile blanche, comme presque tous les
chefs du Kuomintang. Son pousse — il a un pousse
particulier, tout noir, — l'attend. Il le rejoint à
pas menus ; le tireur l'emmène, d'une course lente
et sage ; lui, calé au fond du siège, hoche gravement
la tête et semble peser des arguments qu'il se
propose en silence...

Après l'avoir suivi un instant du regard, nous
passons, sans nous faire annoncer, devant les fac-
tionnaires, traversons un grand hall vide et rencontrons une autre sentinelle en uniforme kaki sou-
taché d'orange. (Est-ce une marque de distinction ?) En face, ce n'est pas une natte, cette fois,
mais une porte fermée.

— « Il est seul ? » demande Garine à la sentinelle.
L'autre incline la tête affirmativement. Nous frap-
pons et entrons. Le cabinet de travail est vaste.
Un portrait en pied de Sun-Yat-Sen, haut de
deux mètres, coupe en deux le mur de chaux

bleuâtre. Derrière un bureau couvert de papiers
de toutes sortes mis en ordre et soigneusement
séparés les uns des autres, Borodine, à contre-jour,
nous regarde entrer, un peu étonné (par ma présence sans doute) et clignant des yeux. Il se lève
et vient à nous, la main en avant, le dos voûté.
Je distingue maintenant son visage en raccourci,
au-dessous des cheveux ondulés, massifs, rejetés
en arrière, que je voyais seuls lorsqu'il m'est
apparu d'abord, penché sur son bureau. Il a cet
air de fauve intelligent que donne l'ensemble des
moustaches courbes, des pommettes saillantes et
des yeux bridés. Quarante ans peut-être.

Pendant l'entretien qu'il a avec Garine, son
attitude est à peu près celle d'un militaire. Garine
me présente, résume en russe le rapport de Meunier qu'il a laissé sur le bureau ; Borodine prend
le papier, et le classe aussitôt dans une pile de
rapports surmontée d'un autre portrait, gravé,
de Sun-Yat-Sen. Il semble intéressé surtout par
un détail qu'il note en disant quelques mots. Puis,
tous deux discutent, en russe encore, sur un ton
d'animation inquiète.

— Qu'est-ce qu'il a noté ? dis-je à Garine, dès
que nous avons pris congé.

— La menace du fouet. Il a répondu « à trans-
mettre ».

Nous regagnons pour déjeuner la maison de
Garine, qui marche les yeux baissés, soucieux.

— Ça ne marche pas ?

— Oh ! j'ai l'habitude...

Devant sa maison, un planton qui l'attendait
lui remet un rapport. Il le lit en gravissant les

marches, le signe sur la table d'osier de la vérandal
et le rend. Le planton part en courant. Garine es
de plus en plus soucieux. Je lui demande de nou
veau, en hésitant :

« — Alors ?
— Alors... alors voilà. »
Le ton suffit.
— Ça va mal ?
— Assez. Les grèves, c'est très joli, mais ça n
suffit pas. Maintenant, il faut autre chose. Il fau
UNE autre chose : l'application du décret qui inter
dit aux bateaux chinois de toucher Hongkong
ainsi qu'à tous les bateaux étrangers qui veulen
mouiller à Canton. Il y a plus d'un mois que l
décret est signé, mais il n'est pas encore promulgué
Les Anglais savent que la grève ne peut dure
toujours ; ils se demandent ce que nous allon
faire. Attendent-ils beaucoup de l'expédition d
Tcheng-Tioung-Ming ? Ils lui fournissent des armes
des instructeurs, de l'argent... Lorsque ce décre
a été signé, ils ont eu une telle peur, les gens d
Hongkong, qu'ils ont télégraphié à Londres, a
nom de tous les corps constitués, pour demande
une intervention militaire. Le décret est resté a
fond d'un tiroir. Je sais bien que son applicatio
justifierait une guerre. Et après ? Puisqu'ils n
peuvent pas l'entreprendre, cette guerre ! Et Hong
kong serait enfin...

Du poing, il fait le geste de serrer une vis.

— Songe : en retirant à Hongkong la clientèl
des seules compagnies cantonaises, nous abaisson
des deux tiers les recettes du port. La ruine.

— Eh bien ?

— Quoi, eh bien ?

— Oui, qu'attendez-vous?

— Tcheng-Daï. Nous ne sommes pas encore le
gouvernement. Une action de ce genre échouera,
si ce vieil abruti se met en tête de la faire échouer.

Il réfléchit.

— Même lorsqu'on est très bien renseigné, on
ne l'est qu'à demi. Je voudrais savoir — savoir —
s'il n'est vraiment pour rien dans ce que nous préparent Tang et les cochons de second ordre...

— Tang ?

— Un général, comme beaucoup d'autres. Tang
n'a pas d'importance. Il prépare un coup d'État :
il veut nous coller au mur. Ça le regarde. Mais
lui, en l'occurence, ne compte pas : il n'est qu'un
hasard nécessaire, qui se reproduira. Ce qui compte,
c'est ce que nous trouverons derrière lui. L'Angleterre d'abord, comme il convient. En ce moment
les caisses anglaises s'ouvrent largement devant
tous ceux qui se proposent de nous abattre ; chaque
homme de ses régiments lui est certainement
payé par les agents de l'Intelligence Service un bon
prix. (Et — malheureusement — Hongkong n'est
pas loin, ce qui permet à Tang et aux autres de
filer en lieu sûr quand ils sont battus). Et il y a
encore Tcheng-Daï, « l'honnête Tcheng-Daï » que
tu as vu tout à l'heure. Je suis sûr que Tang, s'il
était vainqueur — il ne le sera pas — lui offrirait
le pouvoir, quitte à gouverner sous son nom.
On peut mettre Tcheng-Daï à la place du Comité
des Sept et on ne peut mettre que lui. Les sociétés
publiques et secrètes l'accepteraient, c'est certain.
Et il remplacerait notre action par de beaux « appels

aux peuples du monde » comme celui qu'il vient
de lancer et auquel Gandhi et Russel ont répondu.
C'est beau, l'âge du papier ! Je vois cela d'ici :
compliments, boniments, retour des marchandises
anglaises, Anglais à cigares sur le quai, démolition
de tout ce que nous avons fait. Toutes ces villes
chinoises sont molles comme des méduses. Le
squelette, ici, c'est nous. Je viens d'en parler à
Borodine, qui est inquiet, évidemment. J'attends
de nouveaux rapports... »

A l'instant où nous allons nous mettre à table,
un nouveau planton arrive, porteur d'un pli.
Garine ouvre l'enveloppe avec le couteau de table,
s'assied devant son assiette et lit.

— Bon, ça va.

Le planton part.

— Le nombre de crapules que l'on peut trouver
autour de Tcheng-Daï est incroyable. Avant-hier,
les types qui prétendent défendre ses idées don-
naient une réunion. Sur une espèce de place, pas
très loin de la rivière. Il était venu. Digne et fatigué
comme tu l'as vu tout à l'heure ; pas pour parler,
évidemment. Et c'était à voir, les orateurs voci-
férant, montés sur les tables, au-dessus d'une masse
carrée de têtes pas très enthousiastes, sur un fond
de tôle ondulée, de cornes de pagodes, de bouts
de zinc tordus. Autour de lui, un peu à l'écart, pas
trop, un grand cercle respectueux. Il a été attaqué
par de quelconques voyous : tous les terroristes
le haïssent. Il avait avec lui quelques costauds
choisis qui l'ont défendu. Le chef de la police a
fait aussitôt coffrer agresseurs et défenseurs. Et
aujourd'hui, le principal défenseur — c'est son

interrogatoire que j'ai sous les yeux — demande
une place, même dans la police, au commissaire
qui l'interroge. C'est beau, la foi ! Quant à l'autre
papier, le voici...

Il me le tend. C'est la copie d'une liste établie par
le général Tang : Garine, Borodine, Nicolaieff,
Hong, des noms chinois. Au-dessus : *faire arrêter
d'urgence.*

Pendant tout le déjeuner, nous parlons de
Tcheng-Daï : Garine ne pense qu'à lui. L'adversaire.

Sun-Yat-Sen a dit avant de mourir : « La parole
de Borodine est ma parole. » Mais la parole de
Tcheng-Daï : aussi est sa parole, et il n'a pas été
nécessaire qu'il le dît.

Il a commencé en Indochine sa vie publique.
Qu'était-il allé faire à Cholon ? La grande ville
du riz n'avait rien pour séduire ce lettré... Il a été
là-bas un des organisateurs du Kuomingtang, et
mieux qu'on organisateur : un animateur. Chaque
fois que le gouvernement de la Cochinchine, soit
à l'instigation des ghildes riches, soit de sa propre
initiative, intervint contre l'un des membres du
parti, on vit apparaître Tcheng-Daï. Il fournit du
travail ou de l'argent à ceux que le Gouvernement
ou la police s'efforçait d'affamer, permit aux
expulsés de rentrer en Chine avec leur famille en
donnant les sommes nécessaires. Les membres
du parti voyant se fermer devant eux les portes
des hôpitaux, il parvint à en créer un nouveau.

Il était alors président de la section de Cholon.
Dans l'impossibilité de réunir à l'aide de cotisations les fonds nécessaires, il fit appel aux banques
chinoises qui refusèrent tout prêt. Il offrit alors

en garantie ses propriétés de Hongkong — les deux tiers de sa fortune. Les banques acceptèrent et la construction de l'hôpital commença. Trois mois après, à la suite d'une manœuvre électorale, la présidence du parti lui était retirée ; en même temps, les entrepreneurs lui faisaient savoir que, certaines modifications ayant été apportées au devis, ils se voyaient obligés d'augmenter les prix prévus. Les banques refusèrent toute nouvelle avance ; de plus, menacées par le gouvernement de la Cochinchine qui pouvait dans les vingt-quatre heures expulser leurs directeurs, elles commencèrent à soulever des difficultés pour le règlement des fonds promis. Tcheng-Daï fit vendre les propriétés qu'il avait données en gage, et l'hôpital s'éleva ; mais il fallait l'achever. Une sourde campagne commençait contre lui au sein du Kuomingtang ; bien qu'il en souffrît, il ne s'arrêta pas ; et tandis que dans les restaurants chinois, après la sieste, les agents électoraux en tricots blancs venaient parler confidentiellement de « son attitude bizarre » aux artisans mal réveillés, abrutis de chaleur, il faisait mettre en vente à Canton sa maison familiale. L'hôpital achevé, divers pots-de-vin encore devaient être versés ; après avoir pressenti Grosjean, l'antiquaire de Pékin, il se défit de ses rouleaux peints et de sa collection célèbre de jades Sung. Que possédait-il encore ? De quoi vivre très modestement, à peine. Seul entre tous les membres influents du parti, il n'a pas d'auto. C'est pourquoi je l'ai vu passer en pousse, assez satisfait, peut-être, du spectacle d'une pauvreté qui ne permet pas d'oublier la grandeur de son caractère.

Car cette grandeur, pour être réelle, ne va pas sans habileté. Comme Lau-Yit, comme le général Hsu, il est poète ; mais c'est lui qui a fait du boy-cottage, défense de quelques marchands adroits contre les Japonais, l'arme précise que nous connaissons aujourd'hui. C'est lui qui l'a fait appliquer aux Anglais, lui qui, connaissant le commerce occidental (élève des Pères, il lit, parle et écrit ;ouramment le français et l'anglais), a orienté assez habilement la propagande de Sun-Yat-Sen pour donrer confiance aux Anglais ; lui qui a fait subordonner les interdictions d'achat au service des renseignements, laissant toujours aux Anglais assez d'espoir pour leur permettre d'accumuler des marchandises dont, à un moment choisi, les Chinois se détournent tout à coup.

Mais son autorité est, avant tout, morale. On n'a pas tort, dit Garine, de parler de Gandhi à son sujet. Son action, quoique plus limitée, est du même ordre que celle du Mahatma. Elle est au-dessus de la politique, elle touche l'âme, elle excelle à détacher. Toutes deux agissent par la création d'une légende qui trouble profondément les hommes de leur race. Mais, si les deux actions sont parallèles, les hommes, eux, sont fort différents. Au centre de l'œuvre de Gandhi est le désir douloureux, passionné, d'enseigner aux homme à vivre ; rien de semblable chez Tcheng-Daï. Il ne veut être ni l'exemple, ni le chef, mais le conseiller. A la mort de Sun-Yat-Sen, qu'il a assisté aux heures les plus tristes de sa vie, mais sans presque se mêler aux agitations purement politiques, on lui a demandé s'il accepterait de succéder au dictateur en tant que Président du

parti. Il a refusé. Il ne craignait pas les responsabilités, mais le rôle d'arbitre lui semble plus noble,
plus conforme aussi à son caractère, que tout autre.
De plus, il se défendait d'accepter une fonction
qui pût occuper toute son activité, et faire de lui
autre chose que ce qu'il voulait être : le gardien
de la Révolution. Sa vie entière est une protestation morale, et son espoir de vaincre par la justice
n'exprime point autre chose que la plus grande
force dont puisse se parer la faiblesse profonde,
irrémédiable, si répandue dans sa race.

Et peut-être cette faiblesse est-elle seule susceptible de faire comprendre son attitude présente.
Désire-t-il vraiment, passionnément, depuis des
années, délivrer la Chine du Sud de la domination
effective de l'Angleterre ? Oui. Mais, à défendre
et à diriger un peuple d'opprimés dont la cause
était indéniablement juste, il a pris insensiblement
l'habitude de son rôle, et s'est trouvé, un jour,
préférer ce rôle au triomphe de ceux qu'il défend.
Inconsciemment, sans doute, mais avec force. Il
est beaucoup plus attaché à sa protestation que
décidé à atteindre la victoire; il lui convient
d'être l'âme et l'expression d'un peuple opprimé.

Il n'a pas d'enfants. Pas même de fille. Il a été
marié jadis. Sa femme est morte. Il s'est marié à
nouveau. Plusieurs années après, sa seconde femme
est morte, elle aussi. Nul, après sa mort, ne célèbrera
pour lui les rites anniversaires. Il en éprouve une
douleur calme, tenace, dont il ne parvient pas à
se délivrer. Il est athée, ou croit l'être ; mais cette
solitude dans la vie et dans la mort l'obsède. L'héri-
tage de sa gloire, il le léguera à la Chine relevée.

Hélas !... Lui, qui fut riche, mourra presque
pauvre, et la grandeur de cette mort ira s'épar-
piller sur des millions d'hommes. Dernière solitude... Cela, chacun le sait, et aussi que cette
solitude le lie plus étroitement chaque jour à la
destinée du parti.

« Noble figure de victime qui soigne sa biogra-
phie », dit Garine. Tenter lui-même de satisfaire
ses désirs lui donnerait l'impression d'une trahi-
son. Dominé à la fois par son tempérament, par
une longue habitude et par l'âge, il a oublié jusqu'à
la possibilité de tirer les conséquences logiques de
son attitude. Entreprendre et diriger une lutte
décisive ne s'impose pas plus à lui que ne s'impose
à un catholique fervent l'idée de devenir pape.
Garine, un jour, a terminé une discussion sur la
IIIᵉ Internationale par : « Mais la IIIᵉ Internationale, elle, *a fait* la Révolution. » Tcheng-Daï
n'a répondu que par un geste à la fois évasif et
restrictif des deux mains levées sur la poitrine, et
Garine dit que jamais il n'a compris aussi vivement la distance qui les sépare.

On le croit capable d'action : mais il n'est capable
que d'une sorte d'actions particulière, de celle qui
exige la victoire de l'homme sur lui-même. S'il est
parvenu à ériger un hôpital c'est que les obstacles
qu'il a dû surmonter, malgré leur importance, l'ont
toujours été par son désintéressement. Il a dû se
dépouiller ; il l'a fait, et peut-être sans peine, fier
de penser que peu d'hommes l'eussent fait. Chez
lui, comme chez les chrétiens, l'action s'accorde
avec la charité ; mais la charité qui est, chez les
chrétiens, compassion, est chez lui le sentiment de

la solidarité : seuls les Chinois du Parti sont reçus dans son hôpital. La grandeur de sa vie vient d'un dédain du temporel qui donne à ses actes publics un caractère admirable ; mais ce dédain, pour être sincère, n'en laisse pas moins place au sens de son utilisation, et Tcheng-Daï, désintéressé, entend ne point laisser ignorer un désintéressement fort rare en Chine. Ce désintéressement, qui semble avoir été d'abord simplement humain, est devenu, par une subtile comédie, sa raison d'être : il y cherche la preuve de sa supériorité sur les autres hommes. Son abnégation est l'expression d'un orgueil lucide et sans violence, de l'orgueil compatible avec la douceur de son caractère et sa culture de lettré.

Comme tous ceux qui agissent fortement sur les foules, ce vieillard courtois, aux petits gestes mesurés, est hanté. Hanté par cette Justice qu'il croit être chargé de maintenir et qu'il ne distingue plus qu'à demi de sa propre pensée, par les problèmes que sa défense lui impose, comme d'autres le sont par la sensualité ou par l'ambition. Il ne songe qu'à elle ; le monde existe en fonction d'elle ; elle est le plus élevé des besoins de l'homme, et aussi le dieu qui doit être le premier satisfait. Il a confiance en elle comme un enfant dans une statue de la pagode. Le besoin qu'il en avait jadis était profond, humain, simple ; elle le domine aujourd'hui comme un fétiche. Peut-être est-elle encore le premier besoin de son cœur : mais elle est aussi une divinité protectrice sans qui rien ne saurait être tenté, qu'on ne saurait oublier sans devoir craindre une sorte de vengeance mystérieuse... Sa grandeur a vieilli

avec lui, et l'on n'en voit plus que le corps
exsangue. Possédé par un dieu déformé bien caché
sous sa douceur, son sourire et ses grâces mandari-
nales, il vit, hors de ce monde révolutionnaire
quotidien auquel nous sommes, dit Garine, si fortement attachés, dans un rêve de monomanie où
passent encore des épaves de sa noblesse ; et cette
monomanie augmente son influence et son prestige. Le sentiment de la justice a toujours été très
puissant en Chine, mais à la fois passionné et confus ;
la vie de Tcheng-Daï, qui déjà prend tournure de
légende, son âge, font de lui un symbole. Les Chinois tiennent à le voir respecter comme ils tiennent
à voir reconnaître les qualités de leur race. Il est
provisoirement intangible. Et l'enthousiasme, créé
par la Propagande, dirigé contre l'Angleterre, ne
peut changer sa direction sans perdre sa force. Il
faut qu'il entraîne tout avec lui, mais il est trop tôt
encore...

Pendant le repas, les rapports se sont succédé.
Garine, de plus en plus inquiet, en prend connaissance dès qu'ils arrivent, et les pose au pied de sa
chaise, les uns sur les autres.

Le monde de vieux mandarins, contrebandiers
d'opium ou photographes, de lettrés devenus marchands de vélos, d'avocats de la Faculté de Paris,
d'intellectuels de toute sorte affamés de considération qui gravite autour de Tcheng-Daï sait que
la Délégation de l'Internationale et la Propagande
maintiennent seules l'état actuel, soutiennent
seules cette immense attaque qui met en échec
l'Angleterre, s'opposent seules avec force au
retour de l'état de choses qu'ils n'ont pas su main

tenir, de cette république de fonctionnaires dont
les deux piliers étaient l'ancien mandarin et le nouveau : médecin, avocat, ingénieur. « Le squelette,
c'est nous », disait Garine tout à l'heure. Et il
semble, d'après les rapports, que tous, à l'insu
peut-être de Tcheng-Daï qui réprouverait un coup
d'État militaire, se soient groupés autour de ce
général Tang dont on n'a pas parlé à Canton
jusqu'ici, et qui a sur eux la supériorité du courage. Tang a reçu ces jours derniers des sommes
considérables. Les agents anglais sont nombreux
dans l'entourage de Tcheng-Daï... Comme je
m'étonne qu'un mouvement aussi grand puisse se
préparer à l'insu du vieillard, Garine me répond,
tapotant du doigt la table : « Il ne veut pas savoir.
Il ne veut pas engager sa responsabilité morale.
Mais je crois qu'il veut bien soupçonner... »

*
* *

2 *heures.*

A la Propagande, avec Garine, dans le bureau
qui m'est destiné. Au mur un portrait de Sun-Yat-
Sen, un portrait de Lénine, et deux affiches colo-
riées : l'une figure un petit Chinois enfonçant une
baïonnette dans le derrière rebondi de John Bull
les quatre fers en l'air, tandis qu'un Russe en bon-
net de fourrure dépasse l'horizon, entouré de rayons,
comme un soleil ; l'autre représente un soldat
anglais, armé d'une mitrailleuse, tirant sur une
foule de Chinoises et d'enfants qui lèvent les bras

Sur la première, en chiffres européens : 1925 et le caractère chinois : aujourd'hui ; sur la seconde, 1900 et le caractère : jadis. Une large fenêtre devant laquelle un store jaune saturé de soleil est baissé. A terre, une pile de journaux chinois qu'un planton vient chercher. Les secrétaires de ce service en tirent toutes les caricatures politiques et les classent avec des résumés des principaux articles. Sur le bureau Louis XVI, réquisitionné, une caricature oubliée, un double sans doute ; c'est une main qui porte, imprimé sur chacun de ses doigts : Russes, Étudiants, Femmes, Soldats, Paysans ; et, dans la paume : Kuomintang. Garine (serait-il devenu soigneux, lui aussi ?) la froisse et la jette au panier. Au mur, un cartonnier, et une porte par laquelle cette pièce communique avec celle où se tient Garine, pleine, elle aussi, de cette lumière tamisée, jaune et dense, que laissent passer les stores. Mais il n'y a pas d'affiches au mur, et le cartonnier est remplacé par le coffre-fort. A la porte, un factionnaire.

Le Commissaire à la Police générale, Nicolaïeff, est assis dans un fauteuil, le ventre en avant, les jambes écartées. C'est un homme très gros, dont le visage a cette expression d'aménité que donne aux obèses blonds un nez légèrement retroussé. Il écoute Garine, les yeux fermés, les mains croisées sur le ventre.

— Enfin, dit Garine, tu as lu tous les rapports qui t'ont été envoyés ?

— Jusqu'à cette minute même...

— Bien. A ton avis, Tang va-t-il marcher contre nous ?

— Sans hésiter : voici la liste des Chinois qu'il a l'intention de faire arrêter.

— Penses-tu que Tcheng-Daï soit au courant ?

— Ils veulent se servir de lui, voilà tout...

Le gros homme s'exprime en français avec un très léger accent. Le ton de la voix — on dirait, malgré la netteté des réponses, qu'il parle à une femme ou qu'il va ajouter : mon cher — le calme du visage, l'onction de l'attitude font songer à un ancien prêtre.

— Disposes-tu de beaucoup d'agents, à la Secrète ?

— Mais, presque de tous...

— Bien : la moitié des hommes dans la ville pour annoncer que Tang, payé par les Anglais, prépare un coup d'État qui doit faire de Canton une colonie anglaise. Milieux populaires, bien entendu. Un quart aux permanences des Syndicats : de bons agents. Très important. Le reste, parmi les sans-travail, avec des numéros de la *Gazette de Canton*, pour bien montrer que les amis de Tang ont demandé la suppression de l'indemnité de grève que nous faisons verser.

— Les sans-travail inscrits sont, voyons...

— Laisse le dossier tranquille : vingt-six mille.

— Bon, nous aurons assez d'hommes.

— Plus quelques agents choisis, ce soir, aux réunions du parti, pour insinuer que Tang va être radié, qu'il le sait et qu'il place maintenant son espoir hors du parti. Ça, assez vague.

— Entendu.

— Tu es absolument certain, n'est-ce pas, qu'il

n'y a pas l'ombre d'une preuve, qu'il est impossible de le faire coffrer, Tang ?

— Hélas !

— Dommage. Il ne perdra rien pour attendre.

Le gros homme s'en va, son dossier sous le bras. Garine sonne. Le planton apporte un paquet de cartes de visites qu'il pose sur la table en prenant une cigarette dans la boîte, ouverte, de Garine.

— Fais entrer les délégués des syndicats.

Sept Chinois entrent, l'un derrière l'autre — veste au col fermé et pantalons de toile blanche — en silence. Des jeunes, des vieux. Ils se placent devant la table, en demi-cercle. L'un des plus âgés s'assied à demi sur le bureau : l'interprète. Tous écoutent Garine :

— Il est probable qu'un coup d'État va être tenté contre nous cette semaine. Vous connaissez aussi bien que moi les opinions du général Tang et de ses amis ? Je n'ai pas besoin de vous rappeler combien de fois notre camarade Borodine a dû intervenir au Conseil pour faire maintenir le paiement des allocations de grève à Canton. Vous représentez, avant tout, nos sans-travail qui se sont dépensés sans compter, aux dernières réunions syndicales, pour faire reconnaître par tous les camarades vos qualités ; je sais que je peux compter sur vous. Voici d'ailleurs la liste des gens qui, suspects à Tang, à Tcheng-Daï et à leurs amis, doivent être arrêtés dès le début du mouvement. »

Il leur passe une liste. Ils lisent, puis se regardent les uns les autres.

— Vous reconnaissez vos noms ? Donc, à partir du moment où vous sortirez de ce bureau...

A la fin de chaque phrase, l'interprète, d'une voix sourde, traduit ; les autres répondent par un murmure : litanies.

— ... Vous ne devez plus rentrer chez vous. Chacun de vous restera à la permanence du syndicat, et y dormira. Pour vous...

Il désigne trois Chinois.

« ... dont les permanences sont trop éloignées pour être défendues, vous irez, en sortant, chercher les archives et les apporterez ici. Je vous ai fait préparer des bureaux. Chacun de vous donnera à ses piquets de grève[1] des instructions précises : il faut que nous puissions réunir tous nos hommes en une heure. »

Pendant qu'il parlait, il a fait circuler la boîte de cigarettes, qui est revenue sur la table. Il la referme avec un léger claquement, et se lève. L'un après l'autre, comme ils sont entrés, les Chinois sortent, lui serrant la main au passage. Il sonne.

— Que celui-là écrive la cause de sa visite, dit-il au planton, en lui rendant l'une des cartes. En attendant fais entrer Lo-Moï.

C'est un Chinois de petite taille, rasé, au visage couvert de boutons, qui se place devant Garine, respectueusement, les yeux baissés.

— Dans les derniers déclanchements de grève, à Hong-Kong et ici, trop de discours inutiles. Si les camarades se croient dans un Parlement, ils se trompent ! Et, une fois pour toutes, ces discours-là doivent être soutenus par un objet : si la maison du patron est trop loin, ou si elle est trop moche,

---

1. Milices armées des syndicats.

ils peuvent toujours avoir son auto sous la main.
Je répète, pour la dernière fois, que les orateurs
doivent montrer ce qu'ils attaquent. Que je n'aie
plus à revenir là-dessus.

Le petit Chinois s'incline et sort. Le planton
rentre avec la carte que Garine lui a rendue tout
à l'heure, et la lui tend.

— Pour des tanks ?

Garine hausse les sourcils.

— Enfin, ça regarde Borodine.

Il écrit sur la carte l'adresse de Borodine, et
quelques mots (d'introduction, sans doute). On
frappe à la porte, deux coups.

— Entrez !

Un Européen grand et fort, au visage romain
taché d'une moustache américaine, vêtu du même
uniforme kaki d'officier que Garine, pousse la porte.

— Garine, bonjour.

Il parle français, mais c'est encore un Russe.

— Bonjour, général.

— Eh bien ? Il se décide, monsieur Tang ?

— Tu es au courant ?

— A peu près. Je viens de voir Boro. Il souffre,
ce pauvre garçon, en vérité ! Le docteur dit qu'il
craint l'accès.

— Quel docteur : Myroff ou le Chinois ?

— Myroff. Alors, Tang ?

— Deux ou trois jours encore...

— Il n'a que son millier d'hommes ?

— Et ce qu'ils pourront trouver avec leur argent
et celui des Anglais. Quinze à dix-huit cents en
tout. En combien de temps l'armée rouge peut-elle
être ici, au minimum ? Six jours ?

— Huit. La propagande les a-t-elle travaillées, les troupes de Tang ?

— Très peu : les hommes sont presque tous Honanais et Yunnanais.

— Tant pis. Combien ont-ils de mitrailleuses ?

— Une vingtaine.

— Tu pourras avoir en ville cinq à six cents cadets, Garine, pas plus.

— Dès que l'action sera engagée, vous rappliquerez.

— Nous sommes donc d'accord : dès que les troupes de Tang seront alertées tu enverras les cadets dont tu disposeras, avec la section de mitrailleuses, et la police derrière. Et nous viendrons par le haut.

— Entendu.

L'homme s'en va.

— Dis donc, Garine, c'est le Chef de l'État-Major ?

— Oui : Gallen.

— Ce qu'il peut avoir l'air d'un officier du tsar !

— Comme les autres...

Nouveau Chinois, cheveux blancs en brosse.

Il s'approche, touche le bureau de l'extrémité de ses doigts, et attend.

— Vous avez tous vos sans-travail en mains ?

— Oui, Monsieur.

— Combien pourrait-on en réunir en une demi-heure ?

— Avec quels moyens, Monsieur ?

— Moyens rapides. Négligez la question du transport.

— Plus de dix mille.

— Bien. Je vous remercie.

A son tour, le Chinois aux beaux cheveux blancs s'en va.

— Qu'est-ce que c'est que celui-là ?

— Chef du Bureau des Allocations. Un lettré. Ancien mandarin chassé. Des histoires...

Il rappelle le planton.

— Envoie tous ceux qui attendent encore chez le Commissaire à la Police Générale.

Mais, par la porte entr'ouverte, un nouveau Chinois vient d'entrer, tranquille, après avoir frappé en passant deux petits coups. Obèse comme Nicolaïeff, rasé, avec une bouche épaisse et un visage sans traits, il sourit largement, découvrant des dents aurifiées, et tient entre ses doigts un énorme cigare. Il parle anglais.

— Le bateau de Vladivostock est arrivé, monsieur Garine ?

— Ce matin.

— Quelle quantité de gazoline ?

— Quinze cents... (suit le nom d'une mesure chinoise que je ne connais pas).

— Quand sera-t-elle livrée ?

— Demain. Le chèque ici même, comme d'habitude.

— Voulez-vous que je le signe immédiatement ?

— Non. Chaque chose en son temps.

— Alors, au revoir, monsieur Garine. A demain.

— A demain.

« Il nous achète les produits que nous envoie l'U. R. S. S., me dit Garine à mi-voix en français pendant que le Chinois s'en va. L'Internationale

n'est pas riche, en ce moment, et les envois de
matières premières sont bien nécessaires. Enfin,
ils font ce qu'ils peuvent : gazoline, pétrole, armes,
instructeurs... »

Il se lève, va jusqu'à la porte, regarde ; plus
personne. Il revient à son bureau, se rassied et
ouvre un dossier : HONGKONG. Les derniers rapports. Il me passe, de temps à autre, certaines
pièces qu'il veut classer à part. Pour avoir moins
chaud, j'abaisse la manette qui commande le
ventilateur ; aussitôt les feuilles s'envolent. Il
arrête le ventilateur, reclasse les feuilles éparses
et continue à souligner certaines phrases au crayon
rouge. Rapports, rapports, rapports. Pendant que
je prépare un résumé de ceux qu'il a choisis, il
sort. Rapports...

La grève qui paralyse Hongkong ne se main-
tiendra pas plus de trois jours, sous sa forme
actuelle.

Supposons que les ouvriers qui ne recevront plus
les secours de grève attendent dix jours avant de
travailler à nouveau : en tout treize jours. Donc,
si, avant quinze jours, Borodine n'a pas trouvé un
nouveau moyen d'action, les bateaux anglais seront
dans le port de Canton, Hongkong se relèvera ;
tout l'enseignement de cette grève aura été donné
en vain. Le coup porté à Hongkong est très dur ;
les banques ont perdu, et perdent encore chaque jour
des sommes énormes ; de plus, les Chinois ont vu
que l'Angleterre n'est pas invulnérable. Mais, à
l'heure actuelle, nos subventions et celles des
banques anglaises font vivre une ville de trois cent
mille habitants où personne ne travaille. De ce

jeu, qui se lassera d'abord ? Nous, nécessairement.
Et, du côté de Waitchéou, l'armée de Tcheng-
Tioung-Ming se prépare à entrer en campagne...

Reste l'interdiction de toucher Hongkong faite
à tous les capitaines dont les bateaux doivent
se rendre à Canton. Mais il faut pour cela un décret,
et, tant que Tcheng-Daï possèdera la puissance qui
est actuellement la sienne, le décret ne sera pas
signé.

Hongkong : l'Angleterre. Derrière l'armée de
Tcheng-Tioung-Ming : l'Angleterre. Derrière la
nuée de sauterelles qui entoure Tcheng-Daï :
l'Angleterre.

*
* *

Quelques livres sont posés sur le bureau : le dic-
tionnaire sino-latin des Pères, deux livres anglais
de médecine : *Dysentery*, *Paludism*. Quand Garine
revient, je lui demande s'il est vrai qu'il ne se
soigne pas.

— Mais si, je me soigne ! Bien entendu ! Je ne me
suis pas toujours soigné très sérieusement, parce
que j'avais autre chose à faire, mais cela n'a pas
grande importance : pour guérir, il faut que je
rentre en Europe; je le sais. Je resterai là-bas le
moins longtemps possible. Mais comment veux-tu
que je m'en aille actuellement ! »

J'insiste à peine : cette conversation l'irrite. Et le
planton vient d'apporter une lettre qu'il lit attentivement. Puis il me la tend, disant seulement :
« Les mots au crayon rouge sont écrits par Nicolaïeff. »

C'est une nouvelle liste, semblable à celle qu'a
reçue Garine au début du déjeuner, mais plus
longue : Borodine, Garine, E. Chen, Sun-Fo, Liao-
Chong-Hoï, Nicolaïeff, Sémionoff, Hong, de nombreux Chinois que je ne connais pas. Nicolaïeff
a ajouté dans le coin, en rouge : *liste complète des
gens à faire arrêter* ET EXÉCUTER SÉANCE
TENANTE. Et il a ajouté au bas, à la plume,
rapidement : *ils sont en train de faire graver des
proclamations.*

*
* *

A cinq heures, le planton apporte une nouvelle
carte. Garine se lève, va jusqu'à la porte et s'efface
pour laisser passer Tcheng-Daï. Le petit vieillard
entre, s'assied dans le fauteuil, allonge ses jambes,
plonge ses mains dans ses manches et regarde
Garine retourné derrière son bureau. avec une
bienveillance un peu ironique. Mais il se tait.

— Vous désiriez me voir, monsieur Tcheng-Daï ?

Il fait : oui, de la tête, sort lentement ses mains
de ses manches et dit, de sa voix faible :

— Oui, monsieur Garine, oui. Je ne crois pas
devoir vous demander si vous connaissez les
attentats qui se sont succédé ces jours derniers.

Il parle très lentement, avec soin, l'index levé.

« J'admire trop vos qualités pour penser que
vous les ignorez, étant donné les relations cons-
tantes que votre fonction vous oblige à entretenir
avec monsieur Nicolaïeff...

« Monsieur Garine, ces attentats se succèdent
trop.

Garine répond par un geste qui signifie : « Qu'y puis-je ? »

— Nous nous comprenons, monsieur Garine, nous nous comprenons...

— Monsieur Tcheng-Daï, vous connaissez le général Tang, n'est-ce pas ?

— Monsieur le Général Tang est un homme loyal et juste.

Et, posant lentement la main droite sur le bureau, comme pour souligner ce qu'il dit :

— Je compte obtenir du Comité Central des mesures effectives pour réprimer les attentats. Je crois qu'il serait bon de faire mettre en accusation les hommes connus de tous comme chefs de groupes terroristes. Monsieur Garine, je désire savoir quelle sera votre attitude, quelle sera l'attitude de vos amis en face des propositions que je vais présenter.

Il retire sa main, et la replonge dans sa manche.

— Depuis quelque temps, répond Garine, il faut reconnaître, Monsieur Tcheng-Daï, que les instructions que vous avez données à vos amis se sont opposées d'une façon rigoureuse — et un peu malencontreuse — à tous nos désirs.

— On vous a trompé, monsieur Garine ; sans doute avez-vous quelques mauvais conseillers, ou vos informations ont-elles été mal prises ? Je n'ai donné aucune instruction.

— Disons des indications.

— Pas même... J'ai exposé ma façon de penser, donné mon opinion, c'est tout...

Il sourit de plus en plus.

« Je suppose que vous n'y voyez pas d'inconvénient ?

— Je fais grand cas de votre opinion, Monsieur ;
mais j'aimerais — nous aimerions — que le Comité
en fût informé autrement...

— Que par ses agents de police, Monsieur
Garine ? Moi aussi. Il eût pu, par exemple, m'envoyer un de ses membres, une personne qualifiée.
Il le pouvait bien certainement (il s'incline légèrement) et la preuve, c'est que nous sommes
ensemble.

— Il y a quelques mois, notre Comité ne se
voyait pas obligé de me déléguer pour connaître
vos opinions ; vous les lui faisiez connaître vous-
même...

— La question est donc de savoir si c'est moi qui
ai changé, ou si c'est vous... Je ne suis plus un jeune
homme, monsieur Garine, et vous reconnaîtrez
peut-être que ma vie...

— Personne ne songe à contester votre caractère, pour lequel nous avons tous du respect : nous
n'ignorons pas ce que vous doit la Chine. Mais...

Il s'était incliné, et souriait. Entendant : *mais*,
il se redresse, inquiet, et regarde Garine.

« ... mais vous ne contestez pas, me semble-t-il, la
valeur de notre action. Et cependant, vous tentez
de l'affaiblir. »

Tcheng-Daï se tait, espérant que le silence
gênera Garine, et qu'il continuera à parler. Après
un moment, il se décide.

— « Peut-être, en effet, est-il souhaitable que
notre situation devienne plus nette... Les qualités
de certains membres du Comité, et les vôtres en
particulier, Monsieur Garine, sont éminentes. Mais
vous donnez une grande force à un esprit qu'il nous

est impossible d'approuver pleinement. Quelle importance vous accordez à l'école militaire de Wampoa ! »

Il écarte les mains, comme un prêtre catholique déplorant les péchés de ses fidèles.

« Je ne suis pas suspect de tenir à l'excès aux vieilles coutumes chinoises ; j'ai contribué à les détruire. Mais je crois, je crois fermement, je dirai même : j'ai la conviction, que le mouvement du parti ne sera digne de ce que nous attendons de lui qu'à la condition de rester fondé sur la justice. Vous voulez attaquer ? »

D'une voix encore affaiblie :

« Non... Que les impérialistes prennent toutes leurs responsabilités. Quelques nouveaux assassinats de malheureux feront plus pour la cause de tous que les cadets de Wampoa...

— C'est faire bon marché de leur vie. »

Il rejette la tête en arrière pour regarder Garine, ce qui lui donne l'aspect d'un vieux maître chinois indigné par la question d'un élève. Je le crois en proie à la colère, mais rien n'en paraît. Ses mains sont toujours dans ses manches. Pense-t-il à la fusillade de Shameen ? Enfin, il dit, comme s'il exposait la conclusion de ses réflexions :

— Oh ! Moins que de les envoyer se faire fusiller par les volontaires de Hongkong, ne trouvez-vous pas ?

— Mais la question ne se pose pas. Vous savez comme moi que la guerre n'aura pas lieu, que l'Angleterre ne peut pas la faire ! Chaque jour démontre à tous les Chinois — et le parti y contribue — la stupidité du bluff européen, le néant d'une force

appuyée sur des baïonnettes pendues au mur et
des canons bouchés.

— Je n'en suis pas si certain que vous semblez
l'être. La guerre ne vous déplairait pas... Elle mon-
trerait à tous votre habileté, qui est remarquable,
les qualités d'organisateur de Monsieur Borodine et
les qualités guerrières de Monsieur le Général Gallen.

(Quel accent de mépris secret sur le mot : guerrières...)

— N'est-ce donc pas une chose haute et juste
que la délivrance de la Chine entière ?

— Vous êtes bien éloquent, monsieur Garine...
Mais nous ne voyons pas cela de la même façon.
Vous aimez les expériences. Vous employez, pour
les exécuter, comment puis-je dire ?... ce dont vous
avez besoin. Il s'agit, en l'occurence, du peuple de
cette ville. Vous l'avouerai-je ? Je préfèrerais qu'il
ne fût pas employé à cette besogne. J'aime à lire
des contes tragiques, et je sais les admirer ; je
n'aime pas à en contempler le spectacle dans ma
propre famille. Si j'osais exprimer ma pensée dans
une forme trop violente, qui la dépasse, et employer
une expression dont vous vous servez parfois, à
propos d'un tout autre objet, je dirais que je ne
puis voir sans regret mes compatriotes trans-
formés... en cobayes...

— Il me semble que si une nation a servi de sujet
d'expériences au monde entier, ce n'est pas la
Chine, c'est la Russie.

— Sans doute, sans doute... Mais elle avait peut-
être *besoin* de cela. Ce besoin, vous l'éprouvez,
vous et vos amis. Certes, le danger venu, vous ne
le fuirez pas...

Il s'incline.

— Ce n'est pas — à mon avis, monsieur Garine — une raison suffisante pour l'aller chercher.

« Je veux, — je souhaite — que les Chinois soient jugés partout en Chine par des tribunaux chinois, protégés réellement par des gendarmes chinois, qu'ils possèdent en vérité, et non pas en principe, une terre dont ils sont les maîtres légitimes. Mais nous n'avons pas le droit d'attaquer l'Angleterre d'une façon effective, par un acte du Gouvernement. Nous ne sommes pas en guerre. La Chine est la Chine, et le reste du monde est le reste du monde... »

Gêné, Garine ne répond pas tout de suite. Il reprend :

— « Je sais trop à quoi tend cette attaque... Je sais trop qu'elle va contribuer à maintenir le fanatisme qui est venu ici avec vous...

Garine le regarde.

« Fanatisme dont je ne conteste pas la valeur, mais que je ne puis accepter, à mon regret très vif, monsieur Garine. C'est sur la vérité seule que l'on fonde... »

Il écarte les mains, comme s'il s'excusait.

— Croyez-vous, Monsieur Tcheng-Daï, que l'Angleterre se soucie de la justice autant que vous ?

— Non... C'est pourquoi nous finirons par la vaincre... sans mesures violentes, sans combat. Avant que cinq ans se soient écoulés, aucun produit anglais ne pourra plus pénétrer en Chine. »

Il pense à Gandhi... Garine, frappant la table du bout de son crayon, répond lentement :

— Si Gandhi n'était pas intervenu — au nom
de la justice, lui aussi — pour briser le dernier
Hartal, les Anglais ne seraient plus aux Indes.

— Si Gandhi n'était pas intervenu, monsieur
Garine, l'Inde, qui donne au monde la plus haute
leçon que nous puissions entendre aujourd'hui, ne
serait qu'une contrée d'Asie en révolte...

— Nous ne sommes pas ici pour donner de
beaux exemples de défaites !

— Soyez remercié d'une comparaison qui m'ho-
nore plus que vous ne pouvez croire, mais dont
je ne suis pas digne. Gandhi sait racheter par ses
propres souffrances les erreurs de ses compatriotes.

— Et les coups de fouet que leur vaut sa vertu.

— Vous êtes passionné, Monsieur Garine. Pourquoi vous irriter ? Entre vos idées et les miennes,
la Chine choisira...

— C'est à nous de faire de la Chine ce qu'elle
doit être ! Mais pourrons-nous le faire si nous ne
sommes pas d'accord entre nous, si vous lui ensei-
gnez à mépriser ce qui lui est le plus nécessaire,
si vous ne voulez pas admettre que ce qu'il lui
faut d'abord, c'est EXISTER !

— La Chine a toujours pris possession de ses
vainqueurs. Lentement, il est vrai. Mais toujours...

« Monsieur Garine, si la Chine doit devenir
autre chose que la Chine de la Justice, celle que
j'ai — modestement — travaillé à édifier ; si elle
doit être semblable aux États-Unis...

(Un temps. Sous-entendu : ou à la Russie.)

« Je ne vois pas la nécessité de son existence. Qu'il
en reste un grand souvenir. Malgré tous les abus de

la dynastie mandchoue, l'histoire de la Chine est digne de respect....

— Croyez-vous donc que les pages que nous sommes en train d'en écrire donnent l'impression d'une déchéance ?

— Cinquante siècles d'histoire ne vont pas sans quelques pages très tristes, monsieur Garine, plus tristes sans doute que celles dont vous parlez ne le seront jamais ; mais du moins n'est-ce pas moi qui les ai écrites... »

Il se lève, non sans peine, et se dirige vers la porte à petits pas. Garine l'accompagne ; dès que la porte est refermée, il se tourne vers moi :

— Bon Dieu, Seigneur ! délivrez-nous des saints !

Derniers rapports : les officiers de Tang sont en ville. Rien à craindre pour cette nuit.

« Même dans le domaine des idées, ou plutôt des passions, m'explique Garine pendant que nous dînons, nous ne sommes pas sans force contre Tcheng-Daï. Toute l'Asie moderne est dans le sentiment de la vie individuelle, dans la découverte de la mort. Les pauvres ont compris que leur détresse est sans espoir, qu'ils n'ont rien à attendre d'une vie nouvelle. Les lépreux qui cessaient de croire en Dieu empoisonnaient les fontaines. Tout homme détaché de la vie chinoise, de ses rites et de ses vagues croyances, et rebelle au christianisme, est un bon révolutionnaire. Tu verras cela à merveille par l'exemple de Hong

et de presque tous les terroristes que tu auras
l'occasion de connaître. En même temps que la
terreur d'une mort sans signification, d'une mort
qui ne rachète ni ne compense, naît l'idée de la
possibilité, pour chaque homme, de vaincre la vie
collective des malheureux, de parvenir à cette
vie particulière, individuelle, qu'ils tiennent confusément pour le bien le plus précieux des riches.
C'est à ces sentiments que les quelques institu-
tions russes apportées par Borodine doivent leur
succès ; c'est eux qui poussent les ouvriers à
exiger, dans les usines, des commissions de contrôle élues, non par vanité ou sottise, mais pour
atteindre le sentiment d'une existence plus réellement humaine... N'est-ce pas un sentiment semblable : celui de posséder une vie particulière,
distincte au regard de Dieu, qui fit la force du
christianisme ? Qu'il n'y ait pas loin de tels sentiments à la haine, et même au fanatisme de la
haine, je le vois tous les jours... Si l'on montre
à un coolie l'auto du patron, cela peut avoir
plusieurs effets ; mais si le coolie a les jambes
cassées... Et il y a beaucoup de jambes cassées en
Chine... Ce qui est difficile, c'est de transformer les
velléités des Chinois en résolutions. Il a fallu leur
inspirer confiance en eux-mêmes, et par degrés,
afin que cette confiance ne disparût pas après
quelques jours ; leur montrer leurs victoires, nombreuses et successives, avant de les faire combattre
militairement. La lutte contre Hongkong, entreprise pour bien des raisons, est excellente pour cela.
Les résultats ont été brillants ; nous les faisons
plus brillants encore. Cette ruine qu'ils voient

s'appesantir sur le symbole de l'Angleterre, ils
désirent tous d'y participer. Ils se voient vainqueurs, et vainqueurs sans avoir à supporter les
images guerrières auxquelles ils répugnent parce
qu'elles ne leur rappellent que des défaites. Pour
eux comme pour nous, aujourd'hui c'est Hongkong, demain Hankéou, après-demain Shanghaï,
plus tard Pékin... C'est l'élan donné par cette
lutte qui doit soutenir — et qui soutiendra —
notre armée contre Tcheng-Tioung-Ming, comme
c'est lui qui soutiendra l'expédition du Nord. C'est
pourquoi notre victoire est nécessaire, pourquoi
nous devons empêcher, par tous les moyens, cet
enthousiasme populaire qui est en train de devenir
une force d'épopée de retomber en poussière au nom de la justice et d'autres fari-
boles !

— Une telle force, si aisément détruite ?

— Détruite, non. Annihilée, oui. Il a suffi d'une
inopportune prédication de Gandhi (parce que
des Indiens avaient liquidé quelques Anglais,
ah ! là là !...) pour briser le dernier Hartal. L'enthousiasme ne supporte pas l'hésitation, surtout
ici. Ce qu'il faut, c'est que chaque homme sente
que sa vie est liée à la Révolution, qu'elle perdra
sa valeur si nous sommes battus, qu'elle redevien-
dra une loque...

Après un silence, il ajoute :

— Sans parler d'une minorité résolue...

Après le dîner, il est allé prendre des nouvelles
de Borodine : l'accès de fièvre que craignait le
médecin s'est déclaré, et le délégué de l'Internationale, couché, est dans l'impossibilité de lire et

de discuter quoi que ce soit. Cette maladie inquiète Garine, et son inquiétude nous a amenés à parler quelques instants de lui-même. A l'une de mes questions, il a répondu :

— Il y a au fond de moi de vieilles rancunes, qui ne m'ont pas peu porté à me lier à la Révolution...

— Mais tu n'as presque pas été pauvre...

— Oh ! là n'est pas la question. Mon hostilité profonde va bien moins aux possesseurs qu'aux principes stupides au nom desquels ils défendent leurs possessions. Et il y a autre chose : quand j'étais adolescent, je pensais des choses vagues, je n'avais besoin de rien pour avoir confiance en moi. J'ai toujours confiance en moi, mais autrement : aujourd'hui, il me faut des preuves. Ce qui me lie au Kuomintang...

Et, posant sa main sur mon bras : « C'est l'habitude, mais c'est surtout le besoin d'une victoire commune... »

Le lendemain.

L'action des terroristes est toujours violente. Hier, un riche commerçant, un juge et deux anciens magistrats ont été assassinés, les uns dans la rue, les autres chez eux.

Tcheng-Daï doit demander demain au Comité exécutif l'arrestation immédiate de Hong et de tous ceux qui sont tenus pour les chefs des sociétés anarchistes et terroristes.

Le lendemain.

« Les troupes de Tang sont réunies. »

A peine avons-nous commencé de déjeuner. Aussitôt, nous partons. L'auto file à toute vitesse le long du fleuve. Dans la ville on ne voit rien encore. Mais, à l'intérieur des maisons devant lesquelles nous nous arrêtons, les équipes de mitrailleurs sont prêtes. Dès que nous sommes passés, la police régulière du quai et les piquets de grève chassent la foule, et arrêtent toute circulation sur les ponts, près desquels s'installent les batteries de mitrailleuses. Les troupes de Tang sont de l'autre côté du fleuve.

A la propagande, devant le bureau de Garine, nous attendent Nicolaïeff et un jeune Chinois dépeigné, au visage assez beau : Hong, le chef des terroristes. C'est seulement lorsque j'entends son nom que je remarque la longueur de ses bras, cette longueur un peu simiesque dont m'a parlé Gérard. Déjà de nombreux agents sont dans le couloir : ceux qui, postés devant les maisons de nos amis suspects à Tang avaient pour mission de nous prévenir dès que se présenteraient les patrouilles chargées des arrestations. Ils disent qu'ils viennent de voir les soldats pénétrer de force dans les maisons, furieux de ne pas trouver ceux qu'ils cherchent, emmener des femmes, des domestiques... Garine les fait taire. Puis, il demande à chacun où il se trouvait, et note, sur le plan de Canton, les lieux visités par les patrouilles.

— Nicolaïeff ?

— Oui.

— Descends. Un message à Gallen. Toi-même,
hein ! Puis, un agent en auto dans toutes les permanences : que chaque syndicat envoie cinquante
volontaires contre chaque patrouille. Les patrouilles vont remonter vers le fleuve. Les volontaires sur le quai. Deux postes de cadets pour les
diriger, avec une mitrailleuse chacun. »

Nicolaïeff part en hâte, essoufflé, secouant lourdement son gros corps. Il y a maintenant dans le
couloir une foule d'agents qu'un officier cantonais
et un Européen de haute taille (Klein, me semble-
t-il... mais il est dans l'ombre) interrogent rapidement avant de les laisser arriver jusqu'à Garine.
Un autre officier cantonais, très jeune, traverse
en jouant des épaules cette masse blanche de
personnages en costume de toile ou en robes.

— Je pars, monsieur le Commissaire?

— Entendu, colonel. Vous recevrez les messages
à hauteur du pont No 3.

Il lui remet un plan où sont notés en rouge les
lieux où se trouvaient les patrouilles, le point de
départ de Tang et les routes qu'il peut suivre. La
barre bleue du fleuve coupe la ville : là, comme
toujours à Canton, se livrera le combat. Je me
souviens de la phrase de Gallen : « Les tenailles.
S'ils ne passent pas les ponts, ils sont fichus... »

Un jeune secrétaire, en courant, apporte des
notes.

— Attendez, colonel ! voici la note de la Sûreté:
Tang a quatorze cents hommes.

— Moi, cinq cents seulement.

— Gallen me disait six ?

— Cinq. Vous avez des guetteurs le long du fleuve ?

— Oui. Aucun danger d'être tournés.

— Bon. Les ponts, nous les tiendrons.

L'officier s'en va, sans rien ajouter. Dans le brouhaha, nous entendons le grincement de son auto qui démarre et son klaxon qui s'éloigne en fonctionnant sans arrêt. Chaleur, chaleur. Nous sommes tous en manches de chemises ; nos vestons sont jetés les uns sur les autres, dans un coin.

Encore une note : copie d'une note de Tang :

Objectifs : *Banques*, *Gare*, *Poste*, lit à haute voix Garine. Il continue à lire, mais sans parler, puis reprend : « Il faut d'abord qu'ils passent le fleuve...

— Garine, Garine ! Les troupes de Feng-Lia -Dong...

C'est Nicolaïeff qui revient, épongeant son large visage avec son mouchoir, les cheveux mouillés, les yeux roulant comme des billes.

— ... se joignent à celles de Tang ! Les routes de Wampoa sont coupées.

— Sûr ?

— Sûr.

Et, à voix plus basse : « Jamais nous ne pourrons tenir tout seuls...

Garine regarde le plan étendu sur la table. Puis, il hausse nerveusement les épaules et va jusqu'à la fenêtre.

— Il n'y a pas trente-six choses à faire...

A pleine voix :

— « Klein ! » Plus bas : « Hong, file à la perma-

nence des chauffeurs et ramène une cinquantaine
de types. »

Et, revenant à Nicolaïeff :

— Télégraphe ? Téléphone ?

— Coupés, naturellement.

Klein entre.

— Quoi ?

— Feng nous plaque et coupe Wampoa. Prends
une patrouille de gardes rouges et des agents. Réqui-
sitionne — en vitesse — tout ce que tu pourras
trouver comme autos. Dans chaque bagnole, un
agent et un chauffeur. (Tu trouveras les chauffeurs
en bas, Hong est allé les chercher.) Qu'ils circulent
dans toute la ville — sans passer les ponts — et
qu'ils envoient ici le plus possible de sans-travail et
de grévistes. Passe aux permanences. Que les militants nous envoient tous les hommes dont ils
pourront disposer. Et arrange-toi pour atteindre
le colonel et lui dire qu'il te donne cent cadets.

— Il va gueuler.

— Il gueulera. Cent, c'est bien entendu. Ramène-
les toi-même.

Klein part. Dans le lointain, un bruit de fusillade commence...

— Maintenant, gare à l'embouteillage ! S'il en
vient seulement trois mille pour commencer...

Il appelle le cadet qui tout à l'heure, avec Klein,
interrogeait les agents avant de les laisser entrer :

— Envoyez un secrétaire à la permanence des
gens de mer. Trente coolies tout de suite.

Encore une auto qui part. Je jette un coup d'œil
par la fenêtre : une dizaine d'autos sont devant la
Propagande, avec leurs chauffeurs, et attendent.

Chaque secrétaire qui part en emploie une ; l'auto
sort en grinçant de la grande ombre oblique du
bâtiment et disparaît dans une poussière pleine
de soleil. On n'entend plus de coups de feu, mais,
pendant que je regarde, j'entends la voix d'un
homme qui dit à Garine, derrière moi :

— Trois patrouilles sont prisonnières. Les trois
envoyés des sections attendent.

— Fusillez les officiers. Quand aux hommes...
où sont-ils ?

— Aux permanences.

— Bon. Désarmés, menottes. Si Tang passe les
ponts, fusillés.

Au moment où je me retourne, l'homme qui
parlait sort ; mais il rentre aussitôt :

— Ils disent qu'ils n'ont pas de menottes.

— Au diable !

La sonnerie du téléphone intérieur.

— Allo? Capitaine Kovak? Le Commissaire à
la Propagande, oui ! Elles flambent? Combien de
maisons? De l'autre côté du fleuve?... Laissez-les
flamber...

Il raccroche.

« Nicolaïeff ? Quelle garde devant la maison
de Borodine ?

— Quarante hommes.

— Pour l'instant, ça suffit. Il y a une civière
chez lui ?

— J'en ai fait porter une tout à l'heure.

— Bon.

Il regarde à son tour par la fenêtre, serre les
poings et, s'adressant de nouveau à Nicolaïeff :

— Voilà le cafouillage qui commence... Descends.

D'abord, les autos sur une seule ligne, les unes derrière les autres. Le type qui part n'a qu'à prendre la première. Ensuite, un barrage et les sans-travail en rangs.

Nicolaïeff, déjà en bas, se démène, agite les bras, en raccourci, le visage rouge sous son casque blanc. Les autos, avec fracas, se déplacent, se rangent. Deux ou trois cents hommes en loques attendent, à l'ombre, presque tous accroupis. Il en arrive de nouveaux de minute en minute. Ils questionnent les premiers, l'air abruti, et s'accroupissent derrière eux, pour être eux aussi à l'ombre. J'entends derrière moi :

— Le premier et le troisième ponts ont été attaqués.

— Étais-tu là ?

— Oui, Commissaire, au troisième.

— Alors ?

— Ils n'ont pas tenu devant les mitrailleuses. Maintenant, ils préparent des sacs de sable.

— Bon.

— Le colonel m'a donné cette note pour vous.

J'entends l'enveloppe qu'on déchire.

— Des hommes ? oui, oui ! dit encore Garine, avec exaspération. Et, à voix basse : Il a peur de ne pas pouvoir tenir le coup.

En bas, les loqueteux sont de plus en plus nombreux. A la limite de la ligne d'ombre, des disputes se produisent.

— Garine, il y a au moins cinq cents types en bas.

— Toujours personne, de la permanence des gens de mer ?

— Personne, Commissaire, répond le secrétaire.

— Tant pis.

Il fait remonter le store, et, par la fenêtre, appelle :

— Nicolaïeff !

Le gros homme lève la tête, montrant ainsi son visage, et vient sous la fenêtre.

Garine lui jette un paquet de brassards qu'il a pris dans le tiroir de son bureau :

— Prends trente bonshommes, fous-leur à chacun un brassard et commence la distribution des armes.

Il revient.

On entend la voix de Nicolaïeff, d'en bas :

« Les clefs, bon Dieu ! »

Garine prélève sur un trousseau une petite clef et la jette par la fenêtre : le gros homme la reçoit dans ses mains réunies en coupe. A l'extrémité de la route apparaissent des ambulanciers, qui portent des blessés couchés sur des civières.

— Deux gardes rouges au bout de la rue, bon Dieu ! Pas de blessés par ici en ce moment !

Fatigué par la réverbération du soleil sur la poussière de la rue et sur les murs, je me retourne un instant. Tout est brouillé. Taches de couleurs des affiches de propagande collées au mur, ombre de Garine qui marche de long en large... Mes yeux, rapidement, s'accoutument à l'ombre. Ces affiches, en ce moment, prennent vie... Garine revient à la fenêtre.

— Nicolaïeff ! Rien que des fusils !

— Bon.

La foule des sans-travail, de plus en plus dense,

encadrée par des agents de police en uniforme et un piquet de grève envoyé sans doute par Klein, avance, en pointe, vers la porte : les fusils sont dans la cave. Foule immense, toujours protégée par l'ombre. Arrivent dans le soleil, en rangs, une vingtaine d'hommes porteurs de brassards, conduits par un secrétaire.

— Garine, de nouveaux types avec des brassards !

Il regarde.

— Les coolies des gens de mer. Ça va.

Silence. Dès que nous attendons quelque chose, nous retrouvons la chaleur, comme une plaie. En bas, une faible rumeur ; murmures, socques, inquiétude, la cliquette d'un marchand ambulant, les cris d'un soldat qui le chasse. Devant la fenêtre, la lumière. Calme plein d'anxiété. Le son rythmé, de plus en plus net, de la marche des hommes qui arrivent, au pas ; le claquement brutal de la halte. Silence. Rumeur... Un seul pas, dans l'escalier. Le secrétaire.

— Les coolies des gens de mer sont là, commissaire.

Garine écrit et plie sa feuille.

Le secrétaire tend la main.

— Non !

Il froisse le papier, et l'envoie dans la corbeille.

— J'y vais.

Mais voici de nouveaux secrétaires porteurs de papiers. Il lit : « Hongkong, plus tard ! » et jette les rapports dans un tiroir. Entre un cadet.

— Commissaire, le Colonel demande des hommes.

— Dans un quart d'heure.

— Il demande combien il en aura ?

Nous regardons encore par la fenêtre : maintenant la foule s'étend jusqu'à l'extrêmité de la rue — toujours limitée par la ligne d'ombre — agitée de lents mouvements qui s'y perdent, comme dans l'eau.

— Au moins quinze cents.

Le secrétaire attend encore. Garine, de nouveau, écrit, et cette fois, lui remet l'ordre.

Encore la sonnerie du téléphone intérieur.

— ...

— Mais quels émeutiers, bon sang !

— ...

— Tu devrais le savoir !

— ...

— Oui, enfin, comment sont-ils arrivés ?

— ...

— Plusieurs banques ? Bon. Laisse-les attaquer.

Il raccroche et quitte la pièce.

— Je te suis ?

— Oui, répond-il, déjà dans le corridor.

Nous descendons. Des hommes à brassards, choisis tout à l'heure par Nicolaïeff, apportent de la cave des fusils que leurs camarades distribuent sur le perron aux sans-travail, presque en rangs ; mais les coolies des gens de mer sont remontés avec des caisses de cartouches ; les hommes armés se mêlent aux autres, qui veulent passer et prendre des cartouches avant d'avoir obtenu un fusil... Garine crie en mauvais chinois ; on ne l'entend pas. Il vient alors devant la caisse ouverte et s'assied dessus. La distribution cesse. Le mouvement s'ar-

rête ; des derniers rangs viennent des questions...
Il fait vivement reculer les hommes sans armes,
placer devant eux les hommes armés. Ceux-ci,
par trois, reçoivent, en passant devant la caisse,
leurs munitions, avec une inquiétante lenteur...
Dans la cave, les coolies ouvrent de nouvelles
caisses, à grands coups de ciseau et de marteau...
Et un bruit militaire de pas, comme tout à l'heure,
arrive jusqu'à nous. Nous ne voyons rien à cause
de la foule. Garine saute sur le perron, et regarde :
    — Les cadets !
Ce sont, en effet, les cadets que ramène Klein.
Des coolies reviennent de la cave, ahanant, l'épaule
écrasée par le large bambou où sont suspendues
de nouvelles caisses de cartouches... Klein est
devant nous.
    — Deux cadets pour te seconder, lui dit Garine.
Tous les hommes arrivés et pourvus de munitions
à vingt mètres en avant. Les hommes armés sans
munitions à dix mètres. Une caisse et trois hommes
entre les deux pour la distribution.
    Et, quand tout cela est fait, sans cris, dans une
poussière âcre et dense, rayée de soleil :
    — Maintenant, les fusils d'abord, les munitions
trois mètres plus loin. Les cadets tout à fait en
avant. Faites ranger les hommes par dix. Un chef
par rang ; militant s'il y en a, sinon le premier
du rang. Chaque cadet prend cent cinquante
hommes et file au quai demander les instructions
du colonel.
    Nous remontons, et notre premier regard est
encore pour la fenêtre : la rue est maintenant
envahie ; au soleil comme à l'ombre, des orateurs,

juchés sur les épaules de leurs compagnons, hurlent... On entend le bruit éloigné des mitrailleuses. Là-bas, un premier groupe armé s'en va au pas gymnastique, surveillé par un cadet.

Et l'exaspération passive, la tension de tous les nerfs qui ne trouve plus d'autre objet que l'attente, commence. Attendre. Attendre. Sous la fenêtre, les sections, une à une, se constituent et s'en vont, dans un bruit de pas. Des pièces qui concernent Hongkong sont apportées. Garine les regarde à peine et les jette dans un tiroir. On entend toujours le son de toile déchirée des mitrailleuses, et, de temps à autre, des rafales isolées de coups de fusil ; mais tout cela est lointain, et rejoint presque dans notre esprit les salves de pétards que nous entendions hier... Nous tenons toujours les ponts. Cinq fois, les troupes de Tang ont essayé de passer, mais n'ont pu franchir les têtes de ponts sur lesquelles nos mitrailleuses tirent à feux croisés. Chaque fois, un cadet apporte une note : « Attaque pont n°... repoussée. » Et nous recommençons à attendre, Garine marchant de long en large ou couvrant son buvard de lourds dessins fantastiques pleins de courbes, moi regardant, par la fenêtre toujours semblable, l'organisation des sections. Deux indicateurs sont venus après avoir franchi le fleuve à la nage : de l'autre côté des ponts, on pille et on brûle. Tendue au-dessus de la rue, une très légère fumée atténue l'éclat du ciel très calme.

*
* *

Garine et moi filons en auto vers le quai. Personne dans les rues. Les rideaux de fer des riches boutiques sont abaissés, les échoppes sont fermées par des planches. Lorsque nous passons, des figures apparaissent aux fenêtres, derrière une toile tendue ou un lit dressé, et s'effacent aussitôt. Au coin d'une rue disparaît une femme aux petits pieds qui court, un enfant dans les bras, un enfant sur le dos.

Halte à quelques mètres du quai, dans une rue parallèle, pour échapper au feu des ennemis qui tirent de l'autre rive. Le colonel s'est établi dans une maison peu éloignée du pont principal. Dans la cour, des officiers et des enfants. Au premier étage, une table sur laquelle le plan de Canton est étendu ; contre la fenêtre, trois lits de bois dressés ne laissent entre eux qu'une étroite meurtrière où passe une raie de soleil qui fait sur le genou du colonel une tache pointue.

— Eh bien ?

— Avez-vous reçu cela ? demande le colonel, tendant une note.

La note est en chinois : Garine et moi lisons ensemble. Il semble comprendre à peu près ; néanmoins je traduis, à mi-voix : le général Gallen attaque les troupes de Feng qui nous séparent et marche vers la ville ; le commandant [1] Chang-Kaï-Shek, parti avec les meilleures sections de

1. Commandant l'école des Cadets.

mitrailleuses va prendre à revers les troupes de
Tang.

— Non. C'est arrivé depuis mon départ, sans
doute. Vous êtes sûr de tenir, ici ?

— Naturellement.

— Gallen va bousculer Feng comme un tas de
poussière. Avec l'artillerie, c'est certain. Pensez-
vous que les troupes de Feng se replient sur la
ville ?

— C'est probable.

— Bon. Avez-vous assez d'hommes, maintenant ?

— Plus qu'il n'en faut.

— Pouvez-vous me donner dix mitrailleuses
et un capitaine ?

Le colonel lit quelques notes.

— Oui.

— Je fais barricader les rues et établir à l'entrée
des nids de mitrailleuses. Si les troupes battues
tombent dessus, elles prendront la campagne.

— Je le crois.

Il donne un ordre à son officier d'ordonnance,
qui part en courant. Nous prenons congé, frappés
l'un après l'autre par le rayon que projette la
meurtrière. La fusillade, dehors, est calme.

En bas, vingt cadets nous attendent, abattus
comme des mouches sur deux autos : serrés dans les
sièges, accrochés aux garde-boue, assis dans la
capote, debout sur les marchepieds. Le capitaine
monte avec nous. Les autos démarrent et filent,
secouant les cadets à chaque caniveau.

De nouveaux rapports, sur le bureau, attendent
Garine qui les regarde à peine. Il donne au capitaine

la direction des sections qui continuent à se former : dans la rue que le soleil maintenant plus bas
emplit d'ombre, on ne voit que des têtes.

« Pour les barricades, réquisitionnez ! »

Laissant Nicolaïeff à l'organisation et à l'arme-
ment des sections, Klein descend de nouveau au
sous-sol, suivi des vingt cadets ; le groupe remonte
et reparaît dans le couloir, confus, hérissé çà et là
des raies brillantes que fait la lumière sur les
canons des mitrailleuses. Et, de nouveau, des
autos s'en vont avec un fracas d'embrayage et de
klaxons, débordant de soldats secoués, et laissant
entre les traces des roues des casquettes kaki,
épaves.

Deux heures d'attente. De temps à autre, nous
recevons un nouveau rapport... Une seule alerte :
vers 4 heures, l'ennemi avait emporté le deuxième
pont. Mais presque aussitôt, la ligne d'ouvriers
armés placés partout à l'arrière du quai, arrêtant
le corps de Tang, a donné à notre section mobile
de mitrailleuses le temps d'arriver, et nous avons
reconquis le pont. Puis, dans les ruelles parallèles
au quai, on a fusillé.

Vers cinq heures et demie, les premiers fuyards
de la division de Feng arrivent. Reçus par les
mitrailleuses, ils reprennent la campagne aussitôt.

Inspection de nos postes. L'auto s'arrête à quelque
distance ; nous allons à pied, Garine, un secrétaire
cantonais et moi, jusqu'à l'extrémité de ces rues
dont la perspective est coupée à mi-hauteur par
des barricades basses, faites de poutres et de lits
de bois. Derrière elles, les mitrailleurs fument de
longs cigares indigènes, et jettent de temps à autre

un coup d'œil par les meurtrières. Garine regarde
en silence. A cent mètres des barricades, les ouvriers
armés par nous attendent, accroupis, causant ou
écoutant les discours des sous-officiers impro-
visés, militants de syndicats porteurs de brassards.

Et, dès notre retour à la Propagande, l'attente
recommence. Mais ce n'est plus une attente an-
xieuse : au dernier des postes que nous inspections,
un secrétaire a rejoint Garine et lui a apporté un
message de Klein : le commandant Chang-Khaï-
Shek a forcé les barrages de Tang, et les troupes de
ce dernier, débandées elles aussi, tentent de gagner
la campagne. La fusillade, qui a cessé du côté des
ponts, continue, nourrie, comme une grêle lointaine, sur l'autre rive ; de temps à autre, on entend
éclater des grenades, comme d'énormes pétards.
La bataille s'éloigne rapidement, aussi rapidement
que tombe la nuit. Pendant que je dîne dans le
bureau de Nicolaïeff, en classant les derniers
rapports de Hongkong, des lumières s'allument ;
et la nuit tout à fait venue, je n'entends plus que
des détonations isolées, perdues...

Lorsque je redescends au premier étage, une
rumeur de paroles et des bruits d'armes viennent,
par les fenêtres, de la rue nocturne. Près des autos,
dans la lumière triangulaire des phares, des silhouettes de cadets se croisent, noires, rayées de
barres qui brillent : des armes. Un corps de Chang-
Kaï-Shek est déjà dans la rue. On ne distingue
rien hors des faisceaux lumineux des phares, mais
on sent qu'en bas une foule mouvante anime

l'ombre, avec le besoin de parler haut qui suit les combats.

Garine, assis derrière son bureau, mange une longue flûte de pain grillé qui craque entre ses dents et parle au général Gallen qui l'écoute en marchant en travers la pièce.

— ... Je ne peux pas donner dès maintenant des conclusions. Mais, d'après les quelques rapports que j'ai déjà reçus, je peux affirmer ceci : il y a partout des îlôts de résistance; il y a dans la ville la possibilité d'une nouvelle tentative semblable à celle de Tang.

— Il est pris, Tang ?

— Non.

— Mort ?

— Je ne sais pas encore. Mais aujourd'hui c'est Tang, demain ce sera un autre. L'argent de l'Angleterre est toujours là, et l'Intelligence Service aussi. On lutte ou on ne lutte pas. Mais...

Il se lève, souffle sur le bureau, secoue ses vêtements pour en chasser les miettes de pain, va au coffre-fort, l'ouvre, et en tire un tract qu'il donne à Gallen.

— ... voici l'essentiel.

— Hein ! cette vieille crapule !...

— Non. Il ignore certainement l'existence de ces tracts.

Je regarde par-dessus l'épaule de Gallen : le tract annonce la constitution d'un nouveau gouvernement, dont la présidence aurait été offerte à Tcheng-Daï.

« On sait qu'on peut nous l'opposer. Contre toute notre propagande, il y a son influence.

— Tu as ce tract depuis longtemps ?

— Une heure.

— Son influence... Oui, je vois. Il fait pôle. Tu ne trouves pas que tout cela a assez duré ?

Garine réfléchit :

— C'est difficile...

« D'autant plus que je commence à me méfier de Hong... il se mêle maintenant de faire descendre, de sa propre autorité, des gens qui ont fait au parti des dons considérables...

— Remplace-le.

— Ça demande réflexion : il a de grandes qualités, et le moment est mal choisi. Et puis, s'il cesse d'être avec nous, il sera contre nous.

— Et après ?

— Il ne peut rien sans nous de façon durable ; les terroristes sont toujours imprudents, toujours mal organisés... mais pendant quelques jours...

Le lendemain.

« Naturellement ! » dit Garine en entrant dans son bureau, ce matin, et en voyant de hautes piles de rapports. « Après les histoires, c'est toujours comme ça... » Et nous nous mettons au travail. Une activité furieuse apparaît à travers tous ces rapports que nous mettons en ordre comme des choses mortes. Désirs, volontés d'avant-hier et d'hier, violence d'hommes dont je sais seulement qu'ils sont morts ou en fuite. Et espoir d'autres hommes qui veulent, demain, tenter ce que Tang n'a pas été capable de réussir.

Garine travaille en silence, et réunit tous les documents — ils sont nombreux — qui concernent Tcheng-Daï. Quelquefois, en choisissant ou annotant une pièce au crayon rouge, il dit seulement, à mi-voix : « Encore ». Vers ce vieillard s'orientent tous nos ennemis. Tang qui croyait passer les ponts assez vite pour s'emparer des armes réunies à la Propagande, voulait lui confier la présidence du nouveau gouvernement. Tous ceux que l'action gêne ou inquiète, tous ceux qui vivent de lamentations, réunis autour des chefs des sociétés politiques secrètes, vieillards qui ont jadis collaboré avec Tcheng-Daï, forment une masse à qui sa vie, à lui Tcheng, donne une sorte d'ordre...

Et voici les rapports de Hongkong : Tang a gagné la ville. L'Angleterre, qui sait combien les fonds de la Propagande sont peu élevés, reprend courage. Je comprends, mieux peut-être que lorsque j'étais à Hongkong même, ce qu'est cette guerre nouvelle où les canons sont remplacés par des mots d'ordre, où la ville battue n'est pas livrée aux flammes, mais à ce grand silence des grèves d'Asie, à ce vide inquiétant des villes abandonnées où quelque silhouette furtive disparaît avec un claquement assourdi de socques solitaires... La victoire n'est plus dans un nom de bataille, mais dans ces graphiques, dans ces rapports, dans la baisse du prix des maisons, dans les demandes de subventions, dans la floraison des plaques blanches qui remplacent peu à peu, à l'entrée des

buildings de Hongkong, les raisons sociales ‘des
Compagnies… L'autre guerre, l'ancienne, se prépare, elle aussi : l'armée de Tcheng-Tioung-Ming
est entraînée sous la direction d'officiers anglais.

« De l'argent, de l'argent, de l'argent ! » disent,
l'un après l'autre, les rapports. « Nous allons être
obligés de cesser le paiement des allocations de
grève… » Et Garine, en face de chaque demande,
trace nerveusement un D majuscule : le décret.
L'idée de ce décret l'obsède : nombre de compagnies cantonaises, qu'il ruinerait sans espoir et
qui ont proposé naguère à Borodine des sommes
élevées, se sont tournées vers les amis de Tcheng-
Daï… Vers onze heures, il s'en va.

— Il faut absolument décrocher ce décret. Si
Gallen vient, tu lui diras que je suis chez Tcheng-
Daï. »

Je travaille ensuite avec Nicolaïeff. Ce chef
de la Sûreté est un ancien agent de l'Okhrana, dont
Borodine et Garine connaissent le dossier, aujour-
d'hui possédé par la Tchéka. Affilié aux organisations terroristes avant la guerre, il fit arrêter
nombre de militants. Il était fort bien renseigné,
car il joignait à ses propres indications celles de
sa femme, terroriste sincère et respectée, qui mou-
rut de façon singulière. Diverses circonstances
éloignèrent de lui la confiance de ses camarades,
sans permettre néanmoins la naissance d'une opinion assez ferme pour justifier son exécution. Dès
lors l'Okhrana le tint pour brûlé, et ne le paya

plus. Il était incapable de travailler. Il erra de
misère en misère, fut guide, marchand de photos
obscènes... Périodiquement, il implorait la police
qui lui envoyait quelque argent pour le secourir ;
il vivait écœuré de lui-même, à vau l'eau, lié cependant à cette police par une sorte d'esprit de corps.
En 1914, sollicitant cinquante roubles — ce fut
sa dernière demande — il dénonçait, comme pour
s'acquitter, sa voisine, vieille femme qui cachait
des armes...

La guerre le délivra. Il quitta le front en 1917, finit
par échouer à Vladivostok, puis à Tientsin où il s'em-
barqua, en qualité de laveur, sur le bateau qui
partait pour Canton. Il reprit ici son ancienne
profession d'indicateur, et sut montrer assez d'habileté pour que Sun Yat Sen lui confiât, quatre ans
plus tard, un des postes importants de sa police
secrète. Les Russes semblent avoir oublié son
ancienne profession.

Pendant que j'achève de mettre en ordre le
dossier de Hongkong, il étudie la répression du
soulèvement d'hier. « Alors comprends-tu, mon
petit, je choisis la plus grande salle. Elle est grande,
très grande. Donc, je m'assieds dans le fauteuil
présidentiel, seul, tout seul, sur l'estrade ; tout
seul, tu comprends bien ? Il y a seulement un
greffier dans un coin, et, derrière moi, six gardes
rouges qui ne comprennent que le cantonais,
revolver au poing, bien sûr. Quand le type entre, il
fait souvent claquer ses talons (il y a des hommes
courageux, comme dit ton ami Garine) ; mais
quand il sort, il ne fait jamais claquer ses talons.
S'il y avait là des gens, du public, je n'obtiendrais

jamais rien : les accusés tiendraient tête. Mais
quand nous sommes tout seuls... Tu ne peux pas
comprendre cela : tout seuls... » Et, avec un
sourire mou, un sourire de gros vieillard excité
regardant une petite fille nue, il ajoute, plissant
les paupières : « Si tu savais comme ils deviennent
lâches... »

***

Lorsque je rentre pour déjeuner, je trouve
Garine en train d'écrire.

— Un instant, j'ai presque fini. Il faut que je
note cela tout de suite, sinon je l'oublierais. C'est
ma visite à Tcheng-Daï.

Après quelques minutes, j'entends le bruit que
fait la plume lorsqu'on tire un trait. Il repousse
ses papiers.

« Il paraît que sa dernière maison est vendue.
Il loge chez un photographe pauvre, et c'est sans
doute pour cela qu'il a préféré venir me voir,
l'autre jour. On me fait entrer dans l'atelier une
petite pièce pleine d'ombre. Il avance le fauteuil
et s'assied sur le divan. Quelque part, dans une
cour, un marchand de lanternes, martèle du fer-
blanc — ce qui nous oblige à parler très haut.
D'ailleurs, tu n'as qu'à lire...

Il me tend ses papiers.

— « Commence à : Mais sans doute... T. D.,
c'est lui, G., c'est moi, évidemment. Ou plutôt
non : je vais te lire ça ; tu ne pourrais pas comprendre les indications qui sont en abrégé.

Il incline la tête, mais, au moment de lire, ajoute :

« Je te fais grâce des inutiles boniments du début.
Mandarinal et distingué, comme d'habitude. Quand
je l'ai mis au pied du mur en lui demandant s'il
votera, oui ou non, le décret :

— Monsieur Garine, dit-il (Garine imite presque la voix faible, mesurée et un peu doctorale
du vieillard) voulez-vous me permettre de vous
poser quelques questions ? Je sais que ce n'est
point l'usage...

— Je vous en prie.

— Je voudrais savoir si vous vous souvenez du
temps où nous avons créé l'école militaire.

— Fort bien.

— Peut-être n'avez-vous pas oublié, en ce cas,
que lorsque vous avez bien voulu venir me trouver, me faire connaître votre projet, vous m'avez
dit — vous m'avez affirmé — que cette école
était fondée pour permettre au Kouang-Ton de
se défendre.

— Eh bien ?

— De se défendre. Vous vous souvenez peut-
être que je suis allé avec vous, avec le jeune commandant Chang-Khaï-Shek, chez les personnes
notables. J'y suis même allé seul parfois. Des
orateurs m'ont injurié, m'ont qualifié de milita-
riste, moi !.. Je sais qu'une vie honorable n'échappe
pas aux injures, et je les dédaigne. Mais j'ai dit
à des hommes dignes de respect, de considération,
qui avaient placé en moi leur confiance : « Vous
voulez bien croire que je suis un homme juste.
Je vous demande d'envoyer votre enfant — votre
fils — à cette école. Je vous demande d'oublier
ce que la sagesse de nos ancêtres nous a enseigné :

l'infamie du métier militaire. » Monsieur Garine,
ai-je dit cela ?

— Qui le conteste ?

— Bien. Cent vingt de ces enfants sont morts.
Trois d'entre eux étaient fils uniques. Monsieur
Garine, qui est responsable de ces morts ? Moi.

Les mains dans les manches il s'incline profondément, et se relève en disant :

« Je suis un homme âgé, j'ai depuis longtemps oublié les espoirs de ma jeunesse — un
temps où vous n'étiez pas né, Monsieur Garine.
Je sais ce qu'est la mort. Je sais qu'il est des sacri-
fices nécessaires... De ces jeunes hommes, trois
étaient fils uniques, — fils uniques, Monsieur
Garine, — et j'ai revu leurs pères. Tout jeune
officier qui ne tombe pas pour défendre sa province menacée meurt en vain. Et j'ai conseillé
cette mort.

— Ces arguments sont excellents ; je regrette que
vous ne les ayez pas exposés au général Tang.

— Le général Tang les connaissait et il les a
oubliés, comme d'autres... Monsieur Garine, peu
m'importent les factions. Mais puisque le Comité
des Sept, puisqu'une partie du peuple accorde de
la valeur à ma pensée, je ne la lui cacherai point.

Il ajoute, très lentement :

« Quel qu'en soit pour moi le danger...

« Croyez que je regrette de vous parler
ainsi. Vous m'y contraignez. Je le regrette, en
vérité. Monsieur Garine, je ne défendrai pas votre
projet. J'irai même sans doute jusqu'à le combattre... Je pense que vos amis et vous n'êtes
pas de bons pasteurs pour le peuple...

(Ce sont les Pères, dit Garine de sa voix habituelle, qui lui ont enseigné le français).

... et même que vous êtes dangereux pour lui. Je pense que vous êtes extrêmement dangereux : car vous ne l'aimez pas.

— Qui l'enfant doit-il préférer, de la nourrice qui l'aime et le laisse se noyer, ou de celle qui ne l'aime pas, mais sait nager et le sauve ?

Il réfléchit un instant, incline la tête en arrière pour me regarder et répond respectueusement :

— Cela dépend peut-être, Monsieur Garine, de ce que l'enfant a dans ses poches...

— Ma foi, vous devez bien le savoir, puisque voilà près de vingt ans que vous l'aidez et que vous êtes encore pauvre...

— Je n'ai pas cherché...

— Ce n'est pas comme moi ! A voir mes souliers, qui sont percés, (je m'appuie au mur et montre l'une de mes semelles) on devine que la corruption m'a enrichi. »

« C'est déconcertant, mais idiot. Il pourrait répliquer que nos fonds, quelques faibles qu'ils soient, permettent l'achat de souliers neufs. N'y pense-t-il pas, ou ne veut-il pas continuer une discussion qui l'intimide ? Comme tous les Chinois de sa génération, il a peur de la violence, de l'irritation, signes de vulgarité... Il sort les mains de ses manches, ouvre les bras d'un geste et se lève.

« Voilà. »

Garine pose sur la table la dernière feuille, croise les mains sur elle et répète :

— Voilà.

— Eh bien ?

— Je crois que la question est résolue. La seule chose à faire maintenant, c'est attendre, pour reparler du décret, d'en avoir fini avec lui. Il fait heureusement tout ce qu'il faut pour nous venir en aide.

— En quoi ?

— En demandant l'arrestation des terroristes (entre parenthèses, il peut la demander : s'il obtient leur mise en accusation, la police ne les trouvera pas, voilà tout). Il y a longtemps que Hong le hait...

Le lendemain matin.

Entrant, comme à l'ordinaire lorsqu'il est en retard, dans la chambre de Garine, j'entends des cris : deux jeunes Chinoises qui étaient couchées sur le lit, nues, (longues taches lisses des corps épilés) surprises par mon entrée, se lèvent en hurlant et se réfugient derrière un paravent. Garine, qui boutonne sa tunique d'officier, appelle le boy et lui donne des instructions pour qu'il fasse sortir les femmes et les paye lorsqu'elles seront habillées.

« Lorsqu'on est ici depuis un certain temps, me dit-il dans l'escalier, les Chinoises énervent beaucoup, tu verras. Alors, pour s'occuper en paix de choses sérieuses, le mieux est de coucher avec elles et de n'y plus penser.

— Avec deux à la fois, je pense qu'on a deux fois la paix ?

— Si le cœur t'en dit, fais-les (ou fais-la, si tu y tiens) venir dans ta chambre. Nous avons bien des indicateurs dans les maisons des bords du fleuve, mais je me méfie...

— Des blancs vont dans ces boîtes ?

— Et comment ! Les Chinoises sont très habiles...

Mais Nicolaïeff nous attend au bas de l'escalier ; dès qu'il voit Garine, il crie :

« Oui, oui, ça continue ! Ecoute ça ! »

Il tire de sa poche un papier, et, tandis que nous nous rendons à la Propagande à pied (il ne fait pas encore très chaud), lentement, à cause de son obésité, il lit :

« Les hommes et les femmes étrangers des mis-
« sions ont fui devant une foule chinoise inoffen-
« sive. Pourquoi donc, s'ils n'étaient point cou-
« pables? Et l'on a trouvé dans le jardin de la
« mission d'innombrables os de petits enfants.
« Maintenant qu'il est bien établi que ces êtres
« sans vertu, dans leurs orgies, massacrent féro-
« cement les innocents petits enfants chinois... »

— C'est de Hong, oui ? demande Garine.

— Enfin, comme d'habitude : dicté, puisqu'il ne sait pas écrire les caractères... C'est le troisième papier...

— Oui, je lui ai déjà dit une fois de ne pas exagérer ainsi. Il commence à m'embêter, Hong !

— Et je crois qu'il a l'intention de continuer... Je ne l'ai vu travailler avec plaisir, à la Propagande, que chaque fois qu'il a dû rédiger des com-

muniqués antichrétiens. Il dit que le peuple est
heureux de tels communiqués... Peut-être...

— Ce n'est pas la question. Envoie-le moi,
quand il arrivera.

— Il désirait te voir ce matin, je pense qu'il
t'attend...

— Ah ! surtout, ne lui demande pas quelles
sont ses intentions à l'égard de Tcheng-Daï.
Cherche tes renseignements ailleurs.

— Bien. Dis-moi, Garine ?

— Quoi ?

— Tu sais que le banquier Sia-Tcheou est mort ?

— Couteau ?

— Une balle dans la tête quand nous avons
passé les ponts.

— Et tu penses que Hong ?

— Je ne pense pas : Je sais.

— Tu lui avais bien dit de laisser...

— De ta part et de la part de Borodine (A propos, il va mieux, Borodine, il viendra sans doute
bientôt). Hong n'en fait plus qu'à sa tête.

— Il savait que Sia-Tcheou nous soutenait ?

— Fort bien. Mais peu lui importait ! Sia-
Tcheou était trop riche... Aucun pillage, comme
d'habitude...

Garine hoche la tête sans répondre. Nous arrivons.

J'accompagne Nicolaïeff, prends dans son bureau le dossier des derniers rapports de Hongkong et redescends. Lorsque j'entre dans le bureau
de Garine, je me heurte à Hong qui prend congé.
Il parle avec un accent très fort, d'une voix presque basse où l'on devine une rage mal dominée :

— Vous devez juger ce que j'écris. C'est bien. Mais non mes sentiments. La torture — moi je pense — est, là, une chose juste. Parce que la vie d'un homme de la misère est une torture longue. Et ceux qui enseignent aux hommes de la misère à supporter cela doivent être punis, prêtres chrétiens ou autres hommes. Ils ne savent pas. Ils ne savent pas. Il faudrait — je pense — les obliger (il souligne le mot d'un geste, comme s'il frappait) à comprendre. Ne pas lâcher sur eux les soldats. Non. Les lépreux. Le bras d'un homme se transforme en boue, et coule ; l'homme il vient me parler de résignation, alors c'est bien. Mais cet homme, il dit autre chose... »

Et il sourit en s'en allant, d'un sourire qui découvre ses dents et donne tout à coup à son visage haineux une expression presque enfantine.

Garine, soucieux, réfléchit. Lorsqu'il relève la tête, son regard rencontre le mien...

— J'ai fait prévenir l'évêque, dit-il, du danger que courent ses missionnaires. Leur départ est devenu nécessaire, mais pas leur massacre.

— Et alors ?

— « Les précautions convenables seront prises, m'a-t-il fait répondre. Pour le reste, Dieu nous accordera ou nous refusera le martyre ! que sa volonté soit faite ! » Quelques missionnaires sont partis...

Pendant qu'il parle, son regard se porte sur le bureau, et s'arrête sur l'une des notes blanches qui couvrent son buvard :

« Ah ! Ah ! Tcheng-Daï a quitté le photographe et s'est installé dans une villa qu'un ami absent

à mise à sa disposition !... Et cet homme sage
s'est fait donner hier soir une garde militaire...
Ah ! qu'il y aurait avantage à faire remplacer le
Comité des Sept par un comité dictatorial plus
sûr, à créer une Tchéka, à n'avoir pas à compter
sur des gens comme Hong !... Il y a encore bien
des choses à faire !

« Quoi encore ? Oui, entrez !

Le planton apporte de la part d'un délégué un
rouleau de soie envoyé de Shanghaï, sur lequel
sont calligraphiées à l'encre de Chine des félicita-
tions.

Au bas, une sorte de post-scriptum est ajouté,
écrit d'une encre plus claire et plus sale.

« *Nous, (suivent quatre noms), avons signé ceci
de notre sang, après avoir tranché chacun l'un de
nos doigts, pour témoigner notre admiration à nos
compatriotes cantonais qui osent ainsi lutter, d'une
manière très admirable, contre l'Angleterre impé-
rialiste. Donc, nous leur témoignons notre respect,
et comptons que la lutte sera continuée jusqu'à la
victoire complète. Ont signé ensuite* : d'innombrables signatures collectives (une par section)
suivent.

« Jusqu'à la victoire complète, répète Garine.
Le décret, le décret, le décret ! Tout est là. Si nous
n'empêchons pas définitivement les bateaux de
Hongkong de venir ici, nous finirons par nous
faire casser les reins, malgré tout ! Il faut que ce
décret passe. Il le faut. Sinon, qu'est-ce que nous
foutons ici... ?

Il prend, sur le bureau, une liasse de rapports
de Hongkong. Ce ne sont que demandes d'argent.

« En attendant, il n'y a qu'une solution, reprend-il : l'abandon de la grève générale. Toute l'Asie suit enfin le combat que nous avons engagé : il suffit que Hongkong, aux yeux de tous, reste paralysé. La grève des gens de mer, marins et coolies, complète, surveillée par les syndicats, suffira. Hongkong sans bras vaut Hongkong désert, et nous avons grand besoin, ici, de l'argent de l'Internationale, grand besoin !... »

Et il commence à écrire un rapport, car les décisions qui engagent l'Internationale sont prises par Borodine. La lumière accuse les saillies et les rides de son visage penché. La plus ancienne puissance de l'Asie reparaît : les hôpitaux de Hongkong, abandonnés par leurs infirmiers, sont pleins de malades, et, sur ce papier que jaunit la lumière, c'est encore un malade qui écrit à un autre malade...

2 *heures.*

La nouvelle attitude de Hong inquiète Garine à l'extrême. Il compte sur lui pour le délivrer de Tcheng-Daï ; mais si les rapports des indicateurs lui permettent de savoir que Hong n'attendra pas d'être mis en accusation pour agir, et que la certitude où il est de n'avoir pas encore la police contre lui le pousse à agir rapidement, il ne sait rien de ce que doit être l'action du terroriste. En lui, me dit-il, un personnage singulier, depuis quelque temps, apparaît : sous l'apparente culture, faite uniquement de méditations sur quelques idées virulentes trouvées au hasard des livres et des conversations, le Chinois inculte, le Chinois qui ne sait pas lire les caractères, remonte et commence à dominer celui qui lit les livres français et anglais ; et ce nouveau personnage, lui, est soumis tout entier à la violence de son caractère et de la jeunesse, et à la seule expérience qui soit vraiment sienne : celle de la misère... Il a vécu, adolescent, parmi des hommes dont la misère fermait l'univers, tout près de ces bas-fonds des grandes villes chinoises hantés des malades, des vieillards, des affaiblis de toute sorte, de ceux qui meurent de faim quelque jour et de ceux, beaucoup plus nombreux, qu'une nourriture de bête entretient dans une sorte d'hébétude et de constante faiblesse. Pour ceux-là, dont l'unique souci est de parvenir à s'assurer quelque pitance, la déchéance est presque toujours si complète qu'elle ne laisse pas même place à la haine. Sentiments, cœur, dignité, tout s'est écroulé et des élans de rancœur et de désespoir apparaissent à peine, çà et là, comme, au-dessus de la masse des haillons et des corps roulés dans la poussière, ces têtes, les yeux ouverts, appuyés sur les pilons donnés par les missionnaires... Mais pour d'autres, pour ceux qui deviennent à l'occasion soldats ou brigands, pour ceux qui sont encore capables de quelque sursaut, qui préparent des combinaisons compliquées pour parvenir à acheter du tabac, la haine existe, tenace, fraternelle.

Ils vivent avec elle, dans l'attente de ces journées
où les troupes qui fléchissent sont prêtes à appeler
à leur aide les pillards et les incendiaires. Hong
s'est libéré de la misère ; mais il n'a pas oublié
sa leçon, ni l'image du monde qu'elle fait apparaître, féroce, colorée par la haine impuissante. « Il
n'y a que deux races, dit-il, les mi-sé-ra-bles et
les autres ». Le dégoût qu'il a des puissants et des
riches, formé dans son enfance, est tel qu'il ne
souhaite ni puissance ni richesse, Peu à peu, à
mesure qu'il s'est éloigné de ses cours des Mira-
cles, il a découvert qu'il ne haïssait point le bonheur des riches, mais le respect qu'ils avaient d'eux-
mêmes. « Un pauvre, dit-il encore, ne peut pas
s'estimer. » Cela, il l'accepterait s'il pensait avec
ses ancêtres que son existence n'est pas limitée
au cours de sa vie particulière. Mais, attaché au
présent de toute la force que lui donne sa découverte de la mort, il n'accepte plus, ne cherche plus,
ne discute plus ; il hait. Il voit dans la misère une
sorte de démon doucereux, sans cesse occupé à
prouver à l'homme sa bassesse, sa lâcheté, sa faiblesse, son aptitude à s'avilir. Sans nul doute, il
hait avant tout l'homme qui se respecte, qui est
sûr de lui-même ; impossible d'être plus profondément révolté contre sa race. C'est son dégoût
de la respectabilité, vertu chinoise par excellence,
qui l'a conduit dans les rangs des révolutionnaires.
Comme tous ceux que la passion anime, il s'exprime avec force, ce qui lui donne de l'autorité ;
et cette autorité est accrue par le caractère extrême
de sa haine des idéalistes — de Tcheng-Daï en
particulier — à laquelle on prête à tort des causes

politiques. Il hait les idéalistes parce qu'ils prétendent « arranger les choses ». Il ne veut point que
les choses soient arrangées. Il ne veut point abandonner, au bénéfice d'un avenir incertain, sa
haine présente. Il parle avec rage de ceux qui
oublient que la vie est unique, et proposent aux
hommes de se sacrifier pour leurs enfants. Lui,
Hong, n'est point de ceux qui ont des enfants, ni
de ceux qui se sacrifient, ni de ceux qui ont raison
pour d'autres qu'eux-mêmes. Que Tcheng-Daï,
dit-il, cherchant, comme d'autres, sa nourriture
auprès des égouts, ait donc le plaisir d'entendre
un honorable vieillard lui parler de la justice ! Il
ne veut voir dans le vieux chef tourmenté que
celui qui prétend, au nom de la justice, le frustrer
de sa vengeance. Et, pensant aux confuses confi-
dences de Rebecci, il juge que trop d'hommes se
sont laissés détourner de leur seule vocation par
l'ombre d'un idéal quelconque. Il entend ne pas
terminer sa vie en louant des oiseaux mécaniques,
ne pas laisser l'âge s'imposer à lui. Ayant entendu
réciter ce poème d'un Chinois du Nord :

« *Je combats seul et gagne ou perds*
« *Je n'ai besoin de personne pour me rendre libre.*
« *Je ne veux pas que nul Jésus-Christ pense*
« *Qu'il pût jamais mourir pour moi* »,

il s'est hâté de l'apprendre par cœur. L'influence de Rebecci, puis celle de Garine, n'ont
fait que développer le besoin qu'il a d'un réalisme
furieux, tout entier soumis à la haine. Il considère
sa vie comme pourrait le faire un phtisique encore
plein de force, mais sans espoir ; et, dans l'en-

semble extrêmement trouble de ses sentiments
la haine met un ordre sauvage, brutal, et prend le
caractère d'un devoir.

Seule, l'action au service de la haine n'est ni
mensonge, ni lâcheté, ni faiblesse : seule, elle
s'oppose suffisamment aux mots. C'est ce besoin
d'action qui a fait de lui notre allié ; mais il trouve
que l'Internationale agit trop lentement, qu'elle
ménage trop de gens ; par deux fois, cette semaine,
il a fait assassiner des hommes qu'elle voulait
protéger. « Chaque meurtre accroît la confiance
qu'il a en lui, dit Garine, et il prend peu à peu
conscience de ce qu'il est profondément : un anarchiste. La rupture entre nous est prochaine.
Pourvu qu'elle ne se produise pas trop tôt ! »

Et après un court silence :

« Il est peu d'ennemis que je comprenne mieux... »

Le lendemain.

Au moment où nous partons, arrivent deux
journalistes américains qui demandent à Garine
un entretien. Ils portent le brassard du Commissariat et de la police urbaine, et nous sont recom-
mandés, ont-ils écrit sur leur carte, par le Kuomintang de Californie. Garine me charge de les
recevoir. Et pendant une heure, je leur expose,
en leur offrant de l'alcool et des cigarettes, diverses idées qu'ils notent avec un grand sérieux.

Parfois, rarement, le plus âgé, anglo-saxon rasé à longues dents et à pipe, m'interroge. Ce qui l'intéresse avant tout, c'est la lutte que le Gouvernement de Canton a engagée contre l'Angleterre. Il vient de Hongkong, et la vue de la ville presque déserte l'a bouleversé. Enfin, je parviens à me libérer.

Quand j'entre dans le bureau de Garine, Klein et Borodine causent, assis l'un en face l'autre près de la porte. Ils surveillent obliquement Hong, debout au milieu de la pièce, qui, les mains dans ses poches, discute avec Garine. Borodine s'est levé ce matin : jaune, amaigri, il semble Chinois, aujourd'hui. Quelque chose, dans l'atmosphère, dans l'attitude des hommes, dit l'hostilité, presque l'altercation. Hong parle avec un accent marqué, par saccades, sans bouger. Ses nerfs semblent tendus, comme s'il voulait frapper ses interlocuteurs ; son regard, le ton de sa voix, laissent paraître une grande violence mal contenue. Devant le mouvement brutal de ses mâchoires (il parle comme s'il mordait) je songe soudain à la phrase que me rapportait Gérard : « Quand j'aurai été condamné à la peine capitale... »

« — En France, est-il en train de dire, on n'osait pas couper la tête du roi, hein? On l'a fait, à la fin. Et la France n'est pas morte. Il faut commencer par guillotiner le roi, toujours.

— Pas quand il paye.

— Quand il paye. Et quand il ne paye pas. Et que m'importe qu'il paye ?

— Il nous importe, à nous. Attention, Hong : une action terroriste dépend de la police qu'elle trouve en face d'elle...

— Quoi ?

Garine répète sa phrase. Hong semble avoir compris, mais il est toujours immobile et regarde le carrelage, le front en avant.

— Chaque chose en son temps, ajoute Garine. La révolution n'est pas si simple.

— Oh ! la révolution...

— La révolution, dit Borodine brusquement, en se retournant, c'est payer l'armée !

— Alors, ce n'est pas du tout digne d'intérêt. Choisir ? Pourquoi ? Parce qu'il y a plus de justice chez vous ? Je laisse ces soucis au respectable Tcheng-Daï. Son âge les excuse. Ils conviennent à ce nuisible vieillard. La Politique ne m'intéresse pas.

— C'est ça, c'est ça, répond Garine. Des discours ! Sais-tu ce que font les directeurs des grandes agences de Hongkong, en ce moment ? Ils font queue chez le gouverneur pour obtenir des subventions, et les banques refusent de fournir les sommes demandées. Sur le port, les « gens distingués » coltinent des paquets (comme des oies, d'ailleurs). Nous ruinons Hongkong, nous contraignons à la grève cinq cent mille ouvriers anglais, nous faisons un petit port de l'un des plus riches territoires de la couronne — sans parler de l'exemple. Toi, qu'est-ce que tu fais ?

Hong, d'abord, se tait. Mais, à la façon dont il regarde Garine, je sens qu'il va parler. Enfin, il se décide :

— Tout état social est une saloperie. Sa vie unique. Ne pas la perdre. Voilà.

Mais c'est là une sorte de préliminaire...

— Après? dit Borodine.

— Ce que je fais, vous demandez ?

Il s'est tourné vers Borodine et le regarde en face, cette fois.

— Ce que vous n'osez pas faire. Crever de travail des hommes pauvres, cela est très honteux, faire tuer par de pauvres bougres les ennemis du parti, cela est bien. Mais se bien garder d'aller salir ses mains à de semblables choses, cela est bien aussi, hein ?

— J'ai peur, peut être ? répond Borodine, en qui la colère commence à monter.

— De vous faire tuer, non.

Et, secouant la tête de haut en bas :

— Du reste, oui.

— Chacun son rôle !

— Ha ! C'est le mien, hein ?

En lui aussi la colère monte, et son accent devient de plus en plus marqué.

— Croyez-vous que je n'éprouve pas de répulsion ? Moi, c'est *parce que* cela m'est pénible que je ne le fais pas toujours faire aux autres, vous entendez ? Oui, vous regardez Monsieur Klein. Il a supprimé un Haute-Noblesse, je sais. Je lui ai demandé... »

Laissant là sa phrase, il regarde alternativement Borodine et Klein, et rit, nerveusement.

— Tous les bourgeois ils ne sont pas patrons d'usine » murmure-t-il.

Puis, tout-à-coup, il hausse violemment les épaules et s'en va presque en courant, claquant la porte.

Silence.

— Ça ne va pas mieux, dit Garine.

— Que penses-tu qu'il fasse ? demande Klein.

— A l'égard de Tcheng-Daï ? Tcheng-Daï a presque demandé sa tête...

Et, après avoir réfléchi :

— Il m'a compris lorsque je lui ai dit : une action terroriste doit compter avec la police que les terroristes trouvent en face d'eux. Donc, il va essayer d'en finir avec Tcheng-Daï le plus tôt possible... C'est très probable. Mais, à partir d'aujourd'hui, nous allons être visés nous-mêmes... Au premier de ces messieurs...

Borodine, mordant sa moustache et bouclant son ceinturon qui le gêne, se lève et part. Nous le suivons. Plaqué contre l'ampoule électrique, un gros papillon projette sur le mur une large tache noire.

Klein et moi descendons ensemble.

— Hong, dit Klein, m'a demandé un jour quelle impression j'ai eue en exécutant Kominsky... Je lui ai répondu que je pensais tout le temps que j'aurais dû prendre un revolver. (J'étais surtout gêné d'avoir le couteau). C'est pour ça qu'il riait comme un crétin, en partant. Tu trouves ça drôle, toi ?... C'est vrai que je regrettais de ne pas avoir un revolver. Parce qu'avec un revolver, je l'aurais atteint sans le toucher, ça m'aurait moins... gêné... Et je n'aurais pas eu peur que ça entre mal. Ach ! Hong, il ne sait pas de quoi il parle. Ceux qu'il a peut-être liquidés lui-même ont reçu des balles. Tirer sur un adversaire ce n'est rien,

c'est... anonyme. Moi, j'avais pris un couteau de
chasse pour être plus sûr... D'abord, il a fallu
essayer ; j'ai essayé sur un lapin — un lapin mort,
naturellement (ah ! les côtes)... Quand j'ai vu
Kominsky, je n'ai plus pensé qu'à une chose : je
suis capable de le manquer. J'étais écœuré...
(J'avais même oublié que c'était un acte de justice). J'étais inquiet parce qu'à sa gauche, précisément, il portait sans doute une montre. Avant de
frapper j'ai mis la main sur ma poitrine ; c'est dur,
les os... J'aurais pu le frapper au ventre, oui, mais
cela me dégoûtait... Enfin j'ai lancé le couteau
de toute ma force, comme un idiot, et Kominsky
est tombé, moins à cause de la lame que du
coup...

— Il est mort tout de suite ?
— Il paraît...
— Et après ?
— Oh après, ça n'avait plus d'importance...

Quand je suis rentré, Myroff, le médecin, attendait Garine.

9 *heures.*

Sans doute les paroles de Myroff ont-elles laissé
Garine inquiet, car, pour la première fois, il fait
allusion à sa maladie sans que je l'interroge.

« La maladie, mon vieux, la maladie, on ne peut

pas savoir ce que c'est quand on n'est pas malade. On croit que c'est une chose contre laquelle on lutte, une chose étrangère. Mais non : la maladie, c'est soi, soi-même... Enfin, dès que la question de Hongkong sera résolue... »

Après le dîner, un télégramme est arrivé : l'armée de Tcheng-Tioung-Ming a quitté Wai-Chéou et marche sur Canton.

J'apprends en me réveillant que Garine, après une crise, a été emmené à l'hôpital cette nuit. Je pourrai aller le voir à partir de 6 heures.

Hong et les anarchistes annoncent que des réunions auront lieu cette après-midi, dans les salles dont disposent les principaux syndicats. Hong lui-même prononcera un discours à la réunion de « La Jonque » la plus puissante société de coolies du port de Canton, et à celles de quelques sociétés secondaires. Borodine a désigné pour lui répondre Mao-Ling-Wou, un orateur âgé dont la réputation est grande.

Demain, nos agents annonceront l'abandon de la grève générale, à Hongkong ; en même temps, afin que l'inquiétude qui pèse sur la ville ne se dissipe pas, la Sûreté anglaise sera informée par les « agents doubles » que les Chinois, furieux de ne pouvoir maintenir la grève générale, se préparent à l'insurrection. Les maisons de commerce anglaises, ces derniers jours, ont tenté de créer à Souatéou un service de messageries grâce auquel les objets débarqués dans ce port seraient expédiés dans l'intérieur de la Chine. La grève des coolies a été décrétée hier, sur notre ordre, par les Syndicats

de Souateou, la saisie des marchandises d'origine
anglaise a été ordonnée ce matin. Enfin, un tribunal extraordinaire vient de partir : tous les
commerçants qui ont accepté la livraison de marchandises anglaises seront arrêtées et punis d'une
amende des deux tiers de leur fortune. Ceux dont
les amendes n'auront pas été acquittée avant dix
jours seront exécutés.

5 heures.

J'ai été retenu très tard, et la réunion de « La
Jonque » est certainement commencée.

Nous nous arrêtons, le secrétaire Yunnanais de
Nicolaïeff et moi, devant une sorte d'usine, entrons
dans un garage que nous traversons, suivant le chemin libre au milieu des Ford, traversons encore une
cour. De nouveau, un toit sans cornes, un grand
mur blanc sur lequel les pluies ont fait de larges
traînées vertes, comme des seaux d'acide jetés
à la volée ; une porte. Devant cette porte, assis
sur une caisse, un factionnaire chaussé d'espadrilles montre son pistolet automatique à des
enfants dont les plus petits sont nus. Mon compagnon lui présente une carte ; pour la regarder il
se lève et repousse mollement la grappe d'enfants
à mèche unique, qu'il culbute. Nous entrons.
Une rumeur basse, dans laquelle des phrases, çà
et là, s'émiettent, monte avec un brouillard épais

et bleuâtre. Je ne distingue que les deux grands prismes de soleil criblés d'atomes, que projettent les fenêtres et qui plongent comme des barres obliques dans l'ombre de la salle. Lumière, poussière, fumée, matière fluide et dense où le tabac dessine des ramages. De l'assemblée, nous ne percevons encore que cette rumeur dispersée comme la poussière ; mais voici quelle s'ordonne sous la voix haletante de l'orateur, qui est dans l'ombre, et se transforme en un cri scandé : « Oui, oui. — Non, non », arraché à la foule par chaque phrase, et rythmant les discours de coups de gong étouffés, comme des répons de litanies.

Mes yeux peu à peu s'accoutument à l'ombre. Aucune décoration dans la salle. Trois estrades : une pour le bureau où siègent le président et deux assesseurs, devant un grand tableau couvert de caractères (le testament de Sun-Yat-Sen peut-être ? je ne peux le lire, il est tiop loin) ; une autre, sur laquelle est monté l'orateur que nous entendons et voyons également mal. Sur la troisième estrade, se tient, assez visible, dans une sorte de petite chaire, un Chinois âgé au nez courbe et fin, aux cheveux gris en brosse. Il est appuyé sur ses deux coudes, le buste en avant, et attend.

Dans la foule que je commence à voir plus nettement, pas un geste. Il y a, dans cette petite salle, quatre ou cinq cents hommes ; près du bureau, quelques étudiantes aux cheveux coupés ; les grands ventilateurs de plafond battent lourdement l'air épaissi. Serrés les uns contre les autres ou presque libres, les auditeurs : soldats, étudiants, petits marchands, coolies, approuvent de

la voix, avec un mouvement du cou en avant semblable à celui des chiens qui aboient, sans que
leur corps bouge. Pas de bras croisés, pas de coudes sur les genoux, pas de mentons dans les mains ;
des corps rigides, verticaux, morts, des visages
passionnés dont les mâchoires avancent et, par
saccades toujours, ces approbations, aboiements.

Maintenant, je commence à entendre assez nettement pour comprendre : la voix est celle de
Hong, non pas hésitante comme lorsqu'il parle
français, mais pleine et précipitée. C'est la fin du
discours :

« Ils disent qu'ils nous ont apporté la liberté !
Nous avions brisé l'Empire comme un œuf depuis
cinq ans, qu'ils allaient encore à plat ventre sous
le fouet de leurs mandarins militaires !

« Ils font dire par les agents qu'ils payent, par
leurs boys, qu'ils nous ont enseigné la Révolution !

« Avions-nous besoin d'eux ?

« Est-ce que les chefs des Taï Ping avaient des
conseillers russes ?

« Et ceux des Boxers ! »

Tout cela, dit dans un vocabulaire chinois vul-
gaire, mais avec fureur, est haché de « Oui, oui ! »
gutturaux de plus en plus nombreux. Hong, à
chaque phrase, a haussé le ton. Maintenant il
crie :

« Lorsque nos oppresseurs se préparaient à
égorger les prolétaires cantonais, est-ce que ce
sont les Russes qui ont secoué les bidons d'essence ? Qui donc a jeté dans le fleuve ces cochons
ouverts, les volontaires marchands ?...

— Oui, oui ! Oui, oui ! Oui, oui !

Mao, toujours accoudé, immobile, se tait : manifestement l'assemblée presque tout entière est avec l'orateur ; et il serait vain de dire à ceux qui sont là qu'ils n'ont pas battu les volontaires marchands tout seuls.

Hong a obtenu ce qu'il voulait : sans doute parlait-il depuis quelque temps déjà. Il descend et, obligé de parler dans d'autres réunions, s'en va rapidement au milieu d'un brouhaha respectueux que Mao, qui a commencé de parler, ne domine pas. Impossible d'entendre un mot. La réunion a été préparée : les protestations et les cris me semblent poussés par sept ou huit Chinois, toujours les mêmes, dispersés dans la salle. La foule, sans nul doute, voudrait entendre, malgré son hostilité : Mao est un orateur célèbre et âgé. Mais il n'élève pas la voix. Il continue de parler au milieu de cris et de clameurs, regardant avec attention les diverses parties de la salle soulevée contre lui. Ah ! Sans doute vient-il enfin de constater le petit nombre des interrupteurs qui commencent à entraîner l'auditoire. Alors, d'une voix forte et soudain distincte, fauchant la salle du bras :

« Regardez ceux qui m'injurient ici pour m'interrompre, craignant ma parole ! »

Un remous. C'est gagné : chacun s'est tourné vers l'un des anarchistes. Mao n'a plus contre lui la salle, mais ses ennemis.

« Ceux qui vivent de l'argent anglais pendant que nos grévistes meurent de faim sont moins que des... »

Impossible d'entendre la fin. Mao est penché
en avant, la bouche grande ouverte. Des coins de
la salle partent, sur toutes les tonalités chinoises,
des injures indistinctes, avec un bruit de meute.
Quelques-unes dominent

« Chien ! Vendu ! Traître ! Traître ! Coolie ! »

Mao parle peut-être ; je ne l'entends pas. Cependant le vacarme décroît. Quelques injures isolées, comme les derniers applaudissements au
théâtre... Alors, reprenant d'un coup l'attention
par les deux mains élevées au-dessus de la tête, et
doublant soudain la force de sa voix :

« Coolie ? Oui, coolie ! Je suis toujours allé parmi
les malheureux. Mais pas pour crier, comme vous,
leur nom entre celui des voleurs et celui des traîtres ! Presque enfant...

(Il y a des combats entre les anarchistes et
ceux qui veulent entendre ; mais on entend).

« ... J'ai juré de lier ma vie à la leur, et nul ne me
délivrera de ce serment, car ceux à qui je l'ai fait
sont morts...

Et les deux bras jetés en avant, les mains
ouvertes :

« Vous les sans-abri, vous les sans-riz, vous
tous ! Vous qui n'avez pas de nom, vous qu'on
reconnaît à la plaie de l'épaule, déchargeurs de
bois, tireurs de bateaux ! à la plaie des hanches,
manœuvres du port ! écoutez, écoutez ceux-ci dont
la gloire est faite de votre sang ! Hein ! comme ils
disent bien : coolies, les beaux seigneurs, du même
accent que je disais : chiens ! tout à l'heure, en parlant d'eux !

— Oui, oui !...

Les approbations scandées, de nouveau.

« Oui, oui !

« A mort les insulteurs du peuple !..

Qui a crié ? On ne sait pas. La voix était faible, hésitante.

Mais aussitôt, cent voix hurlent :

« A m-o-o-ort... »

C'est un grondement, un cri trouble qui devient clameur. On distingue à peine le mot : le ton suffit.

Des anarchistes tentent d'atteindre la tribune ; mais Mao n'est pas venu seul ; ses hommes, maintenant aidés par la foule, en défendent l'accès. Un anarchiste, monté sur les épaules d'un camarade, tente de se faire entendre. Il est aussitôt assailli, jeté à terre, frappé. Bagarre. Nous sortons. Arrivé à la porte, je me retourne : dans la fumée plus dense encore, les costumes clairs, les robes blanches, les hardes bleues ou brunes des ouvriers du port se mêlent, images agitées et brouillées, hérissées de poings au-dessus desquels sautent des casques couleur de craie...

Dans la rue, j'aperçois Mao qui s'en va. Je tente de l'atteindre, sans y parvenir. Peut-être ne souhaite-t-il pas être vu en compagnie d'un blanc, aujourd'hui...

Je vais à l'hôpital, seul, à pied. La façon dont Mao s'est tiré de la situation dans laquelle il était fait honneur à son habileté, mais si un maladroit n'avait pas crié « Coolie » que serait-il advenu ? Une victoire due à un tel hasard est une victoire vaine. D'ailleurs, Mao n'a défendu que lui... Mon compagnon yunnanais, m'a dit lorsqu'il

m'a quitté : « Et considérez bien, Monsieur, que
si Hong avait été présent encore, Monsieur Mao
n'aurait peut-être pas triomphé si aisément... »
Triomphé ?

Lorsque j'arrive à l'hôpital, la nuit est tout-
à-fait venue. Aux quatre coins d'un pavillon, sous
les palmes, des soldats, parabellum au poing.
J'entre. Les couloirs sont déserts, à cette heure.
Seul, un infirmier qui dormait, couché sur le
canapé de bois découpé de l'entrée, se réveille en
entendant sonner mes talons sur le carrelage et
me conduit à la chambre de Garine.

Linoléum, murs blanchis à la chaux, large ventilateur, odeur de médicaments, d'éther surtout.
La moustiquaire est à demi-relevée : Garine
semble couché dans un lit à rideaux de tulle. Je
m'assieds à son chevet. L'osier du fauteuil glisse
sous mes mains moites. Mon corps fatigué se
libère ; dehors, les éternels moustiques bourdonnent... Une palme descend du toit, rigide, silhouette de métal sur la nuit molle et sans formes.
L'odeur de la décomposition et celle des fleurs
sucrées du jardin montent ensemble de la terre,
entrent avec l'air tiède, traversées parfois par une
autre : eau croupie, goudron et fer. Au loin, la grêle
des mahjongs, des cris chinois, des klaxons, des
pétards ; lorsqu'arrive, comme d'une mare, le vent
du fleuve et que nous nous taisons, nous entendons
un violon monocorde : quelque théâtre ambulant, ou
quelque artisan qui joue, dormant à-demi dans sa
boutique close de planches. Une lumière rousse,

fumée, monte derrière les arbres ; on dirait que là-bas s'achève quelque immense fête foraine : la ville.

Garine, les cheveux en pluie sur le visage, les yeux à demi-fermés, le visage exténué, me demande, dès que j'arrive :

— Alors ?

— Rien d'important.

Je lui donne quelques nouvelles, puis je me tais. Dans le couloir et dans la chambre les lampes brûlent, entourées d'insectes, comme si elles devaient brûler toujours. Le pas de l'infirmier s'éloigne...

— Veux-tu que je te laisse ?

— Non, au contraire. Je ne désire pas rester seul. Je n'aime plus penser à moi maintenant, et, quand je suis malade, j'y pense toujours... »

La fatigue de sa voix d'ordinaire si nette, un peu tremblante ce soir, comme si sa pensée contrôlait à peine ses paroles, s'accorde avec ces lampes tristes, ce silence, cette odeur de corps en sueur qui parfois domine celle de l'éther et du jardin où marchent les soldats, avec tout cet hôpital où semblent seuls vivants les insectes qui bourdonnent, en masses agitées, autour des ampoules...

— C'est bizarre : après mon procès, j'éprouvais — mais très fortement — le sentiment de la vanité de toute vie, d'une humanité menée par des forces absurdes. Maintenant ça revient... C'est idiot, la maladie... Et pourtant, il me semble que je lutte contre l'absurde humain, en faisant ce que je fais ici... L'absurde retrouve ses droits...

Il se retourne dans son lit, et l'odeur acide de la fièvre s'élève.

— Ah ! cet ensemble insaisissable qui permet à
un homme de sentir que sa vie est dominée par
quelque chose... C'est étrange, la force des souvenirs, quand on est malade. Toute la journée, j'ai
pensé à mon procès, je me demande bien pourquoi ?
C'est après ce procès que l'impression d'absurdité
que me donnait l'ordre social s'est peu à peu
étendue à presque tout ce qui est humain... Je
n'y vois pas d'inconvénients, d'ailleurs... Pourtant,
pourtant... En cet instant même, combien
d'hommes sont en train de rêver à des victoires
dont, il y a deux ans, ils ne soupçonnaient pas
même la possibilité ! J'ai créé leur espoir. Leur
espoir. Je ne tiens pas à faire des phrases, mais
enfin, l'espoir des hommes, c'est leur raison de
vivre et de mourir... Et puis ?... Naturellement,
on ne devrait pas tant parler quand la fièvre est
trop forte... C'est idiot... Penser à soi toute la
journée !... Pourquoi est-ce que je pense à ce
procès ? Pourquoi ? C'est si loin. C'est idiot, la
fièvre, mais on voit des choses...

L'infirmier vient de pousser sans bruit la porte.
Garine se retourne encore ; l'odeur humaine de
la maladie domine de nouveau celle de l'éther.

« A Kazan, la nuit de Noël 19, cette procession
extraordinaire... Borodine était là, comme toujours... Quoi ?... Ils apportent tous les dieux
devant la cathédrale : de grandes figures comme
celles des chars du Carnaval, même une déesse-
poisson, le corps dans un maillot de sirène... Deux
cents, trois cents dieux... Luther aussi. Des musi-
ciens hérissés de fourrures font un chambard du
diable avec tous les instruments qu'ils ont trouvés.

Un haut bûcher brûle. Sur les épaules des types,
les dieux tournent autour de la place, noirs sur
le bûcher, sur la neige... Un chahut triomphal !
Les porteurs fatigués jettent leurs dieux sur les
flammes : une grande lueur claque les têtes, fait
sortir la cathédrale blanche de la nuit... Quoi ?
La Révolution ? Oui, comme ça pendant sept ou
huit heures ! J'aurais voulu voir l'aube !... Pour-
riture !... On voit des choses. La Révolution, on ne
peut pas l'envoyer dans le feu : tout ce qui n'est
pas elle est pire qu'elle, il faut bien le dire, même
quand on en est dégoûté... Comme soi-même ! Ni
avec, ni sans. Au lycée j'ai appris ça... en latin.
On balaiera. Quoi ? Peut-être aussi, y avait-il de
la neige... Quoi ? »

Il est à la limite de l'extrême lucidité et du
délire. Enfiévré par le son de sa voix, il a parlé
d'un ton un peu élevé qui résonne, perdu, dans
l'hôpital. L'infirmier se penche à mon oreille :

« Le docteur a dit de ne pas faire parler longtemps Monsieur le Commissaire à la Propagande... »
Et, à haute voix :

— Monsieur le Commissaire, désirez-vous le
chloral, pour dormir ?

                              Le lendemain.

Robert Norman, le conseiller américain du Gouvernement, a quitté Canton hier soir. Depuis
quelques mois, il n'était plus consulté que lorsqu'il

s'agissait de prendre des décisions sans importance.
Il le savait. Peut-être a-t-il cru n'être plus en
sûreté, non sans raison... Borodine, à sa place, a
été enfin nommé officiellement conseiller du gouvernement, directeur des services des armées de
terre et de l'aviation. Ainsi les actes de Gallen,
qui commande l'état-major cantonais, ne seront
plus contrôlés que par Borodine, et l'armée
presque tout entière est entre les mains de l'Internationale.

TROISIÈME PARTIE

L'HOMME

Les Anglais de Hongkong vivent dans la crainte de l'insurrection.

Leurs radios affirment au monde entier que la ville a retrouvé son activité. Mais ils ajoutent : *Seuls les ouvriers du port n'ont pas encore repris leur travail.* Ils ne le reprendront pas. Le port est toujours désert ; la cité ressemble de plus en plus à cette grande figure vide et noire qui se découpait sur le ciel lorsque je l'ai quittée. Les Anglais chercheront bientôt quel travail convient à une île isolée... Et sa principale richesse, le marché du riz, lui échappe. Les grands producteurs sont entrés en rapports avec Manille, avec Saïgon. « Hongkong, écrivait un membre de la Chambre de Commerce dans une lettre que nous avons interceptée, si le Gouvernement anglais ne décide pas d'intervenir par les armes, sera dans un an le port le plus précaire de l'Extrême-Orient... »

Les sections de volontaires parcourent la ville. Beaucoup d'autos appartenant à des négociants ont été armées de mitrailleuses. Cette nuit, le central téléphonique — pas de défense possible sans téléphone — a été entouré de barricades de fils de fer barbelés. D'autres retranchements sont en construction autour des réservoirs, du palais du Gouverneur et de l'Arsenal. Et, malgré la

confiance qu'elle a dans ses miliciens, la Sûreté
anglaise prise au dépourvu envoie courrier sur
courrier, émissaire sur émissaire au général Tcheng-
Tiung-Ming, pour presser sa marche sur Canton.

***

« Vois-tu, mon cher, me dit Nicolaïeff de sa
voix de prêtre, il ferait mieux de s'en aller, Garine,
beaucoup mieux... Myroff m'a parlé de lui. S'il
veut rester encore quinze jours, il va rester beaucoup plus longtemps qu'il ne le souhaite... Oh !
on n'est pas plus mal enterré ici qu'ailleurs, sans
doute...

— Il dit qu'il ne peut pas partir maintenant :
trop de travail.

— Oui, oui... Les malades ne sont pas rares,
ici... Avec notre façon de vivre, on n'échappe
jamais tout-à-fait aux Tropiques...

Il montre son ventre, en souriant :

— Moi, je préfère cela... Et puis, quand ce qui
compte pour lui n'est pas en jeu, il est un peu
aboulique, Garine... Comme tout le monde...

— Et tu crois que la vie ne compte pas pour
lui ?

— Pas beaucoup, pas beaucoup...

***

Inquiétude extrême, aujourd'hui , à la Sûreté :
le rapport de l'un des boys de Tcheng-Daï, — un
indicateur — vient d'arriver.

Tcheng-Daï sait que les terroristes veulent l'assassiner. On lui a conseillé de fuir : il a refusé. Mais l'indicateur l'a entendu dire à un ami : « Si ma vie n'est pas assez forte pour les arrêter, ma mort le sera peut-être... » Il ne s'agissait plus, cette fois, d'assassinat, mais de suicide. Si Tcheng-Daï, célèbre et respecté comme il l'est encore, se tuait en l'honneur d'une cause, à l'asiatique, il donnerait à cette cause une force contre laquelle il serait difficile de lutter. « Il en est bien incapable » dit Nicolaïeff. Néanmoins, l'inquiétude pèse sur la Sûreté...

*_*_

Garine vient de quitter l'hôpital. Myroff, ou le médecin chinois, viendra le piquer tous les matins.

Le lendemain.

*_*_

Ce n'est pas seulement Tcheng-Daï qui rendait Nicolaïeff inquiet : Tcheng-Tioung-Ming a pris hier Chowtchow et marche sur Canton après avoir battu les troupes cantonaises. Ces troupes, composées d'anciens mercenaires de Sun-Yat-Sen, sont tenues par Borodine pour des troupes sans valeur, incapables d'agir lorsqu'elles ne sont pas encadrées par l'armée rouge et les cadets. Mais les cadets, sous les ordres de Chang-Khaï-Shek, restent

à Whampoa : l'armée rouge, sous les ordres de
Gallen, ne quitte pas ses cantonnements. Seules, les
sections de propagande, qui peuvent préparer la
victoire, mais non l'obtenir, quitteront la ville
demain. « Que le Comité des Sept se décide, dit
Garine. Maintenant, c'est l'armée rouge *et le décret*,
ou Tcheng-Tioung-Ming. Et Tcheng- Tioung-Ming,
pour eux, c'est le peloton d'exécution. Au choix ! »

La nuit.

*
* *

Onze heures du soir, chez Garine. Près de la
fenêtre, nous attendons son retour, Klein et moi.
Sur une petite table, à côté de Klein, une bouteille
d'alcool de riz et un verre. Un planton de la
Sûreté a apporté l'affiche bleue qui est là, mal
pliée, sur la table que les boys ont oublié de des-
servir. On colle des affiches semblables par la ville.

C'est le fragment final du testament de Tcheng-
Daï :

« *Moi, Tcheng-Daï, me suis donc ainsi donné
oclontairement la mort, afin de pénétrer tous mes
ovmpatriotes de ceci : que notre plus grand bien,
LA PAIX, ne doit pas être dilapidé, dans l'égare-
ment où de mauvais conseillers s'apprêtent à plon-
ger le peuple chinois...* »

Ces affiches, qui peuvent à elles seules nous nuire plus que toute la prédication de Tcheng-Daï, qui les fait coller, à cette heure ?

S'est-il tué ? A-t-il été assassiné ?

Garine est allé à la Sûreté et chez Borodine. Il avait d'abord fait demander confirmation de la mort de Tcheng-Daï, mais il est parti sans attendre la réponse, dont il a trouvé sans doute un double à la Sûreté. Elle vient de nous être apportée : Tcheng-Daï est mort d'un coup de couteau dans la poitrine. Impatients, énervés, martelant nos cuisses de coups de poing à la moindre piqûre de moustique, nous attendons. Mon inquiétude est telle que j'entends la voix de Klein, affaiblie et lointaine, comme à travers une forte fièvre :

« Moi je dis que ce n'est pas possible... »

Je viens de dire que ce suicide me semble vraisemblable, et Klein proteste, avec une inexplicable véhémence qu'il s'efforce de maîtriser. J'ai toujours trouvé quelque chose d'étrange à cet homme dont l'aspect de boxeur militaire cache une grande culture. Garine, qui a pour lui une amitié profonde, m'a dit, quand je l'ai interrogé, une phrase que Gérard, déjà, m'avait dite : « Ici, c'est un peu comme à la Légion, et je ne connais de sa vie passée que ce que tout le monde en connaît. » Ce soir, ses larges bras appuyés au fauteuil avec une force de statue, il a peine à exprimer ce qu'il veut dire, et cette difficulté ne vient pas de ce qu'il s'exprime en français. Les yeux fermés, il accompagne ses phrases d'un mouvement en avant du buste, comme s'il luttait contre ses paroles. Il est ivre, d'une ivresse lucide, — muscles et pensées tendus — qui donne à sa voix un timbre ardent et dur.

« Pas pos-sible. »

Obsédé par le rythme d'une chanson créée par le ronronnement du ventilateur, je le regarde...

« Tu ne peux pas savoir !.. C'est... On ne peut pas dire. Il faut connaître des gens qui ont essayé. C'est long. D'abord, on se dit : dans une heure — une demi-heure — on est tranquille. Après, on pense ; alors voilà ; maintenant il faut. Et on devient tout doucement abruti, on regarde la lumière. On est content, parce qu'on regarde la lumière ; on sourit comme un idiot, et on sait qu'on ne pense plus à ça... Plus trop... Mais quand même... Et puis ça revient. Et c'est plus fort que soi, à ce moment-là, l'idée. Pas le geste, l'idée. On se dit : « Ach   pourquoi cette histoire ! »

Je demande, comme au hasard :

— Tu crois qu'on aime de nouveau la vie ?

— La vie, la mort, on ne sait plus ce que c'est ! Seulement : il faut faire ce geste-là. J'avais les coudes serrés contre les côtes, les deux mains posées sur le manche du couteau. Il n'y avait qu'à enfoncer. Non... Tu ne peux pas imaginer ; j'aurais haussé les épaules... Idiot, tout ça, idiot ! Mes motifs, je les avais même oubliés. Il fallait parce qu'il fallait, voilà... Alors j'étais stupéfait. Honteux surtout, honteux. Je me trouvais si dégoûtant que je ne devais plus être bon qu'à me jeter dans le canal. C'est bête, hein ? Oui, bête. Ça a duré longtemps... C'est le jour qui a fini tout. On ne peut pas se tuer quand il fait jour. Se tuer en y pensant, je veux dire. D'un seul coup, comme ça, sans faire attention, peut-être... Mais pas...

« J'ai mis du temps à me retrouver... »

Il rit, et son rire est si faux que je vais jusqu'à la fenêtre, comme pour regarder si Garine ne vient pas encore. J'entends, malgré le ventilateur, ses ongles qui tambourinent sur l'osier du fauteuil. Il parlait pour lui-même... Lourdement, pensant dissiper son malaise en insistant, en me montrant qu'il juge lucidement de tout cela, il continue :

« C'est difficile... Pour ceux qui font ça parce qu'ils en ont assez, il y a des moyens d'y arriver, sans trop se rendre compte... Mais Tcheng-Daï, lui, il se tue pour une chose à quoi il tient, tu comprends, à quoi il tient plus qu'à tout le reste. Plus. S'il réussit, alors c'est le geste le plus noble de sa vie, oui. C'est pourquoi il ne peut pas employer des moyens. Pas possible. Ce ne serait plus la peine...

— L'exemple serait le même...

— Ach ! ça tu ne peux pas comprendre !... Toi, tu dis : un exemple. Que c'est difficile ! C'est un peu comme les Japonais, tu comprends ? Tcheng-Daï il ne fait pas ça pour rester digne de lui-même. Ni pour vivre... muthig... comment, en français ?... héroïquement, oui. Lui, Tcheng, c'est pour rester digne de ce que... de sa mission. Alors, il ne peut pas, tu penses bien... se tuer par surprise !

« Et quand même...

Mais il se tait soudain et écoute :

Une auto s'arrête, un bourdonnement de voix : « Je t'attends à six heures. » L'auto démarre. Garine.

— Klein, Borodine t'attend.

Il se tourne vers moi : « Montons. » Et, à peine assis :

« Que te racontait-il ?

— Qu'il est impossible que Tcheng se soit tué.

— Oui, je sais, il disait toujours que jamais il ne pourrait nous jouer ce tour-là. C'est à voir.

— Qu'en penses-tu toi-même ?

— Rien de net encore.

— Et lui ?

— Qui, lui ? Borodine ? Non. Tu as tort de sourire : nous n'y sommes pour rien, j'en suis certain. Même secondairement, même accidentellement. Il était aussi stupéfait que moi.

— Non, mais ?... Et les tuyaux donnés à Hong?

— Oh, cela c'est une autre affaire. D'après le premier rapport, il n'est nullement certain que Hong y soit pour quelque chose : la garde militaire n'a pas cessé sa faction, et personne n'est entré. Mais peu importe. Nous avons bien autre chose à faire. D'abord, les affiches. Note et traduis ceci :

« N'oublions jamais qu'un homme respecté par toute la Chine, Tcheng-Daï, a été assassiné hier, lâchement, par les agents de nos ennemis.

« Et, pour une autre affiche que l'on devra coller A COTÉ (indique-le bien !)

« Honte à l'Angleterre, honte aux assassins de Shanghaï et de Canton !

« Tu mettras dans le coin de la seconde, en petits caractères : 20 mai-25 juin (l'histoire de Shanghaï et celle de Shameen).

« Bon. On comprendra. Maintenant, le communiqué aux sections : Tcheng-Daï ne s'est pas suicidé, il a été assassiné par les agents anglais. Rien n'empêchera le Bureau politique de faire justice.

« Fleuri, mais court.

— Tu abandonnes les terroristes ?

— Hongkong d'abord. C'est un coup à accrocher le décret !

Il s'assied. Pendant que je traduis, il dessine les oiseaux fantastiques sur le buvard, se lève, marche de long en large, revient au bureau, recommence à dessiner, abandonne encore son crayon, examine avec attention son revolver, et enfin réfléchit, le menton dans ses mains. Je lui remets les deux traductions.

— Tu es tout à fait sûr de tes deux textes ?

— Tout à fait sûr. Dis donc, ça te serait peut-être égal de me dire à quoi ça sert ?

— Ça se voit.

— Pas très bien.

— Ça se colle sur les murs, figure-toi.

Je le regarde, interloqué.

— Mais voyons, avant que ton affiche soit imprimée, tous les Chinois auront lu l'autre ?...

— Non.

— Tu veux les faire arracher ? C'est long.

— Non ! Je les fais recouvrir. Les troupes qui nous suivent seront employées de diverses façons et ne viendront pas dans la ville avant midi. A cinq heures les irréguliers circuleront en tirant des coups de fusil. La police est prévenue. Les bourgeois n'oseront pas sortir pendant plusieurs heures. Les autres ne savent pas lire. D'ailleurs presque toutes leurs affiches seront recouvertes avant trois heures. Demain — ou plutôt aujourd'hui : il est une heure — à 8 heures, il y en aura cinq mille des nôtres, sur les murs. Nous en tirerons cent mille sous forme de papillons. Et toute la Sûreté marche, bien entendu. Vingt ou cinquante affiches que nous aurons oublié de recouvrir ne pourront rien contre cela, d'autant plus qu'elles ne seront pas connues avant les nôtres !

— Et s'ils profitaient de cette mort pour tenter quelque chose ?

— Rien à faire. C'est trop tôt, ils n'ont presque pas de troupes ; eux-mêmes n'oseront pas. Quant au peuple, à supposer qu'il ne nous crût pas sans réserves, il hésiterait. On ne fait pas un mouvement populaire avec des hésitants. Non, ça va.

— S'il ne s'est pas tué...

— S'il s'était tué, nous aurions bien d'autres choses contre nous !

— ...il faut admettre que ce sont ceux qui bénéficient de l'affiche bleue qui l'ont « suicidé »?

— Ceux qui ont fait l'affiche sont dans le même position que nous. Ils ont reçu leurs renseignements plus tôt, voilà tout. Et ils les ont utilisés le plus vite possible. Nous aussi, nous faisons des affiches. Oh ! nous saurons bientôt à quoi nous en tenir ! Mais, pour le moment il faut parer au plus pressé. Il se pourrait fort bien que cette mort fût une affaire...

Nous descendons presque en courant.

— Et Borodine ?

— Je l'ai vu en passant. Malade. Chacun son tour. Je me demande si l'on n'a pas tenté de l'empoisonner. Ses boys sont sûrs, et, de plus...

La phrase est coupée net. Descendant très vite

derrière moi, il a manqué une marche et a pu, juste
à temps, saisir les barreaux de la rampe. Il s'arrête
une seconde, reprend sa respiration, rejette ses
cheveux en arrière et recommence à descendre aussi
vite qu'il le faisait avant sa chute, en parlant :
— Et de plus, surveillés...
L'automobile.
— A l'imprimerie.
Nous posons nos revolvers sur la banquette, à
portée de la main. La ville semble fort calme...
A peine notre course nous laisse-t-elle distinguer,
comme des raies, les lumières électriques que nous
dépassons, et, plus loin, les échoppes closes de
planches mal jointes qui laissent passer une faible
clarté. Pas de lune, pas de maisons découpées en
noir. La vie est collée au sol : quinquets, marchands
ambulants, gargottes, lampes à la flamme droite
dans la nuit chaude et sans air, ombres rapides,
silhouettes immobiles, phonographes, phonographes... Au loin, pourtant des coups de fusil.
Voici l'imprimerie. Notre imprimerie. Un long
hangar... A l'intérieur, la lumière est si intense que
nous sommes d'abord obligés de fermer les yeux.
Les ouvriers qui travaillent là sont tous du Parti,
et choisis ; néanmoins, cette nuit, les portes sont
gardées militairement. Les soldats attendaient
notre arrivée. Un lieutenant très jeune — un cadet
— vient prendre les ordres de Garine. « Ne laisser
entrer ni sortir personne. » Le travail commencé est
suspendu. Je tends les deux traductions au directeur de l'imprimerie — un Chinois — qui les découpe
avec soin en lignes verticales et donne une ligne à
chaque compositeur.

« Corrige, me dit Garine, et apporte-moi la première feuille tirée. Je serai à la Sûreté. Sinon, tu m'y attendras. Je vais te faire envoyer une auto. »

Les deux textes sont rapidement composés. Le directeur recolle les lignes les unes à côté des autres et me passe le placard d'épreuves ; aucun des ouvriers ne connaît le sens de l'affiche qu'il a contribué à imprimer.

Deux machines sont arrêtées et leurs conducteurs attendent les « formes » que nous allons leur apporter. Peu de fautes. Encore deux minutes pour les corrections. Et les formes sont portées sur la machine, calées à la fois avec les mains et avec les pieds nus.

Je prends la première feuille tirée et pars.

Une auto est là, qui me mène à toute vitesse à la Sûreté. Au loin, quelques coups de feu. A la porte, un cadet m'accueille, puis me conduit au bureau où Garine m'attend, à travers des corridors déserts (éclairés par des ampoules éloignées les unes des autres, entourées de halos), et où le son des pas prend l'ampleur et la netteté des sons nocturnes. Je commence à éprouver une fatigue diffuse mêlée d'exaltation, et à sentir dans ma gorge le goût des nuits blanches : fièvre et alcool...

Un grand bureau bien éclairé. Garine y marche de long en large, le visage exténué, les mains dans ses poches. Contre le mur, un lit de camp chinois en bois découpé sur lequel Nicolaïeff est couché.

— Alors ?

Je lui tends l'affiche :

— Fais attention, l'encre est fraîche : j'en ai plein les mains.

Il hausse les épaules, déploie l'affiche, la regarde et rentre les lèvres comme s'il les rongeait. (Ne pas savoir le cantonais ni les caractères, ou plutôt savoir très mal l'un et les autres, l'exaspère, et il n'a plus le temps d'apprendre).

— Tu es sûr que c'est bien ?

— Sois tranquille. Dis donc, tu sais qu'on commence à se battre dans les rues ?

— A se battre ?

— Enfin, je ne sais pas, mais j'ai entendu tirer en venant.

— Les coups étaient nombreux ?

— Oh non, espacés.

— Bon. Alors ça va. Ce sont nos hommes qui commencent à descendre les colleurs des affiches bleues.

Il se retourne vers Nicolaïeff, qui est couché sur le côté, la tête appuyée sur le coude :

— Continuons. Connais-tu, parmi les leurs, un type pas très courageux, mais qui puisse savoir quelque chose ?

— Je pense que je comprends ce que tu entends par un type pas très courageux ?...

— Oui.

— A mon avis, aucun homme n'est très courageux, dans ces conditions-là.

— Si.

Garine a les bras croisés, les yeux fermés : Nicolaïeff le regarde d'une façon singulière, presque avec haine...

— Si. Hong ne parlerait pas.

— On peut essayer...

— Inutile !

— Tu as de bons sentiments à l'égard de tes anciens amis. C'est bien, ça. Comme tu voudras...

Garine hausse les épaules.

— Oui ou non !

L'autre se tait. Nous attendons.

— Ling, peut-être...

— Ah non ! pas de peut-être, hein !

— Mais c'est toi qui me fais dire : peut-être... Je te dis qu'il n'y a pas le moindre doute. Quand on a vu les types chercher leurs parents ou leurs femmes parmi les paquets, les soirs de difficultés, quand on a vu les Chinois interroger les prisonniers, on sait à quoi s'en tenir...

— Ling, c'est un chef de syndicat ?

— Syndicat des coolies du port.

— A ton avis, il est renseigné ?

— On verra... Enfin, à mon avis, oui...

— Bon : entendu.

Nicolaïeff s'étire, s'appuie aux bras du fauteuil e se lève, non sans peine.

— Je pense que nous l'aurons demain...

Et, souriant à demi, avec une attitude singulière de déférence et d'ironie :

— Alors ? Qu'est-ce qu'on fait ?

Garine répond, d'un geste : « Peu m'importe. » Une légère expression de dédain passe sur le visage de Nicolaïeff. Garine le regarde, la mâchoire en avant et dit :

— L'encens [1].

1. La strangulation lente. L'encens sert alors à ranimer les patients.

L'obèse ferme les yeux en signe d'assentiment,
allume une cigarette, et, pesamment, s'en va.

*
* *

Le lendemain.

Je quitte mon auto devant le marché dont les
longs bâtiments bordent le ciel précieux de raies
de plâtre, rugueuses dans la fluidité de la lumière.
Toutes les échoppes où l'on vend à boire sont
envahies par des hommes vêtus de toile brune
ou bleue comme les ouvriers du port. Dès que
l'auto s'arrête, des cris s'élèvent, longs, soutenus,
portés par cet air transparent comme par celui
d'une rivière. Et les hommes quittent les échoppes, rapidement, fouillant dans leurs poches pour
y mettre la monnaie des pièces qu'ils viennent
d'en sortir, se hâtant, se bousculant. Ils montent,
un à un, dans les autobus et les camions réquisitionnés qui les attendent à l'extrémité du mur
blanc. De nouveau, les chefs appellent : quelques
hommes sont absents. Mais les voici qui arrivent
en courant, criant eux aussi, tenant entre leurs
dents de courts saucissons, rattachant leur pantalon... Et, un à un, lourdement, avec un lent
fracas, les camions s'ébranlent.

La deuxième section de Propagande, précédant
l'armée rouge, s'en va.

Nos affiches sont collées sur tous les murs. Le faux
testament de Tcheng-Daï — partout recouvert

maintenant — imprimé dans l'espoir d'un soulèvement populaire, mais sans préparation, vient trop
tard; il semble qu'aucune insurrection ne se prépare. La défaite de Tang a-t-elle été une leçon ?
La crainte de l'arrivée de Tchang-Tioung-Ming à
Canton, agit-elle contre toute nouvelle tentative
de révolte ?

Les cadets parcourent la ville.

Pendant toute la matinée, les agents se succèdent
chez Garine, dont cette nuit blanche a encore
creusé le visage. Affalé sur le bureau, la tête dans
la main gauche, il dicte ou donne des ordres, à
bout de nerfs. Il a fait imprimer de nouvelles
affiches : *La fin de Hongkong*. Les Anglais quitte-
raient la ville en grand nombre, les banques auraient
annoncé la fermeture définitive de leurs agences.
(C'est faux : les banques, obéissant aux ordres de
Londres, continuent à aider autant qu'elles le
peuvent — non sans rechigner — les entreprises
anglaises). Mais, d'autre part, afin d'obliger le
Comité des Sept à le suivre, il fait annoncer par
nos agents que Chowtchow est tombée, et que
l'armée rouge — la seule à laquelle le peuple soit
attaché — n'est pas encore montée en ligne.

A midi, des éditions spéciales des journaux, des
affiches et de larges pancartes de calicot promenées
à travers la ville ont annoncé que les commerçants et industriels de Hongkong (presque toute
la population européenne) réunis au grand théâtre
hier, ont télégraphié au roi pour demander l'envoi
en Chine de troupes anglaises. Cela est exact.

Borodine a déclaré au Comité qu'il ne s'opposait
pas à la promulgation des décrets proposés par

Tcheng-Daï contre les terroristes, et ces décrets
seront appliqués à partir d'aujourd'hui. Mais nos
indicateurs affirment qu'aucune réunion anarchiste
n'aura lieu. Ling n'est pas encore arrêté ; quant à
Hong, il a disparu. Les terroristes ont décidé de ne
plus intervenir que par « l'action directe » — c'est-
à-dire par les exécutions.

Plus tard.

Tcheng-Tioung-Ming avance toujours.

A Hongkong, depêches annoncent, avec des titres
énormes : « La débâcle de l'armée cantonaise. »
Les Anglais, dans le hall des hôtels et devant les
agences, attendent anxieusement des nouvelles de
la guerre ; mais dans le port, que raye seulement
le sillage de jonques lentes, les paquebots sont
toujours immobiles comme s'ils s'enfonçaient peu
à peu dans l'eau, épaves.

L'anxiété des Chinois au pouvoir, ici, est extrême. L'entrée de Tcheng à Canton, c'est pour eux
le supplice, ou l'exécution au coin d'une rue, par
ces pelotons dont les officiers pressés n'ont pas
même le temps de contrôler l'identité des fusillés.
L'idée de la mort est dans les conversations, dans
les yeux, dans l'air, constante, présente comme la
lumière...

Garine prépare le discours qu'il prononcera
demain aux funérailles de Tcheng-Daï.

Le lendemain, onze heures.

Un grondement lointain de tambours et de gongs
que percent des sons de violon monocorde et de
flûte, modulés et soudain criards, puis adoucis ;
sons de cornemuse, fins, linéaires malgré les notes
aiguës, au milieu d'une rumeur à la fois crépitante
et assourdie de socques et de paroles rythmées par
les gongs. Je me penche à la fenêtre : le cortège ne
passe pas devant moi, mais à l'extrêmité de la rue.
Un tourbillon d'enfants qui courent en regardant
derrière eux, le cou retourné, comme des canards,
un nuage de poussière sans contours qui avance,
une masse indistincte de corps vêtus de blanc,
dans laquelle semblent piquées des oriflammes de
soie cramoisie, pourpre, cerise, rose, grenat, vermillon, carmin : tous les tons du rouge. La foule
forme la haie, et je ne vois qu'elle : le cortège est
caché... Pas tout à fait : deux grands mâts passent,
soutenant une banderole horizontale de calicot
blanc, oscillant comme des mâts de navire, et
accompagnant en s'inclinant les coups sinistres
des grosses caisses qui dominent tous les cris. Je
distingue les caractères qui couvrent la banderole : « Mort aux Anglais... » Puis, rien que la haie
au bout de la rue, la poussière qui s'élève lentement et la musique martelée par les gongs. Voici
maintenant les offrandes : fruits, énormes natures-
mortes tropicales, surmontées d'écriteaux couverts

de caractères ; elles aussi oscillent, se balancent,
portées par des hommes, comme si elles allaient
tomber ; et le catafalque passe, traditionnel, longue
pagode de bois sculpté rouge et or, élevé sur les
épaules de trente porteurs très grands dont j'entrevois les têtes, et dont j'imagine la marche rapide,
la claudication, les jambes lancées d'un coup,
toutes à la fois, dans ce mouvement commun qui
fait tanguer et rouler comme un navire, lentement,
l'énorme masse rouge sombre. Qu'est-ce donc qui
la suit?... On dirait une maison de calicot... Oui,
c'est une maison de toile tendue sur une ossature
de bambous, portée, elle aussi, par des hommes,
et qui avance par saccades... Rapidement, je passe
dans la pièce voisine et prends, dans le tiroir de
Garine, ses jumelles. Je reviens : la maison est
encore là. Sur les murs sont peintes de grandes
figures : Tcheng-Daï y est figuré, mort, au-dessous
d'un soldat anglais qui le perce d'une baïonnette.
La peinture est entourée d'une légende en caractères vermillon : « Mort à ces brigands d'Anglais »,
puis-je lire au moment même où l'étrange symbole
disparaît, caché par le coin de la rue comme par
un portant de théâtre. Maintenant, je ne vois plus
que d'innombrables petites pancartes, qui suivent
la maison de toile comme des oiseaux un navire,
et proclament elles aussi la haine de l'Angleterre...
Puis des lanternes, des bâtons, des casques brandis ; puis, plus rien... Et la haie d'hommes qui
fermait la rue se désagrège, tandis que le son des
tambours et des gongs s'éloigne et que la poussière
monte avec lenteur, brillante, et va se perdre dans
la lumière.

Quelques heures plus tard, bien avant le retour
de Garine, certaines phrases de son discours commencent à bourdonner, de secrétaire en secrétaire,
dans les bureaux de la Propagande. Obligé, comme
Borodine, de parler en public par l'intermédiaire
d'un interprète chinois, Garine s'exprime par
phrases courtes, par formules. Aujourd'hui j'entends, au hasard des bureaux et des heures : « Hongkong, qui étale en face de notre famine sa richesse
mal acquise de gardien de prison... Hongkong,
porte-clefs... En face de ceux qui parlent, ceux qui
agissent ; en face de ceux qui protestent, ceux qui
chassent de Hongkong les Anglais, comme des
rats... Comme l'honnête homme qui coupa d'un
coup de hache la main du voleur qui tentait d'ou-
vrir sa fenêtre, vous posséderez, demain, la main
coupée de l'impérialisme anglais, Hongkong rui-
née... »

Une foule d'ouvriers passe dans la rue ; ils élèvent
des bannières sur lesquelles je lis : Vive l'armée
rouge. Ils se rendent devant les fenêtres de la salle
où siège le Comité des Sept. Tantôt proches, tantôt
éloignés, comme un troupeau dont les animaux se
dispersent et se regroupent, des cris : « Vive l'armée
rouge », solitaires, séparés ou réunis en clameur,
emplissent la rue. La Chine entre, s'impose à moi
avec ces cris, la Chine que je commence à connaître,
la Chine où les élans d'un idéalisme sauvage viennent recouvrir une canaillerie sage et basse, comme,
dans l'odeur qui entre avec l'agitation de la ville par
mes fenêtres ouvertes, l'odeur du poivre domine celle
de la décomposition. En face de « Vive l'armée
rouge » et de Tcheng-Daï enseveli sous ses funé-

railles, monte de mes dossiers une foule d'ambitions
crochues, de volontés de considération, un monde
d'agences électorales, de dons louches au parti, de
concussions, de propositions concernant la vente de
de l'opium, d'achats plus ou moins déguisés de
fonctions, de francs chantages ; un monde qui vit
de l'exploitation des principes San-Min comme il
l'eût fait du mandarinat. Une partie de cette
bourgeoisie chinoise dont les révolutionnaires parlent avec tant de haine est à leur côté, installée
dans la révolution. « Il faut passer à travers tout
cela, m'a dit un jour Garine, comme un coup de
pied bien dirigé à travers un tas d'ordures... »

Le lendemain.

Pas de nouvelles des terroristes : Ling, l'homme
dont parlait Nicolaieff est toujours en liberté.
Depuis la nomination de Borodine (qui, toujours
malade, ne qu tte pas sa maison) six des nôtres
ont été assassinés.

Et Hongkong se défend. Le Gouverneur s'est
adressé au Japon et à l'Indo-Chine française ; dans
quelques jours, des coolies partiront de Yokohama
et de Haïphong et viendront remplacer les grévistes.
Il faut que ces coolies envoyés à grands frais se
trouvent à Hongkong en face de montagnes de
riz sans acheteurs, de maisons de commerce sans

espoir. « Canton est la clef avec laquelle les .nglais
ont ouvert les portes de la Chine du Sud » disait
hier Garine dans son discours. « Il faut que cette
clef ferme encore à bloc, mais qu'elle n'ouvre plus.
Il faut que soit promulguée l'interdiction aux
navires qui font escale à Hongkong de mouiller
à Canton... » Déjà, dans l'esprit des étrangers,
Hongkong, port Anglais, territoire de la couronne,
devient un port chinois toujours troublé, et les
bateaux étrangers commencent à l'oublier...

Les courriers et les grands cargos ne pénètrent
plus dans la baie de Hongkong que pour y demeurer quelques heures ; leur frêt est déchargé à
Shanghaï, où, par l'intermédiaire d'agents chinois,
les Anglais s'efforcent de créer dans la ville indigène une nouvelle organisation susceptible de faire
pénétrer dans l'intérieur les marchandises com-
mandées en Angleterre par les sociétés de Hongkong ; c'est, de nouveau, la tentative qui à échoué
à Souatéou. De plus, nombre de maisons de commerce se préparent à ne laisser à Hongkong qu'un
personnel peu nombreux, et à transporter à
Shanghaï le siège de leur agence principale en
Chine. Nous allons voir...

Le Comité des Sept vient de faire une nouvelle
démarche pour demander l'entrée en campagne de
l'armée rouge et l'arrestation des principaux terroristes. Le délégué du Comité affirme que le
décret exigé par Garine sera signé avant trois
jours... Toute la journée, une foule menaçante

(et fort bien organisée) acclamant l'armée rouge,
a entouré l'immeuble où le Comité siège.

Le lendemain.

Ling a été arrêté hier ; nous recevrons sans doute
cette après-midi les renseignements que nous
attendons de lui. Dans l'inquiétude causée par
l'avance des troupes ennemies, les bureaux de la
Propagande travaillent avec une extrême activité.
Les agents qui précèdent l'armée ont été instruits
avec précision ; leurs chefs ont reçu les indications
de Garine lui-même. Je les ai vus passer dans le
couloir, les uns après les autres, souriants... Nous
avons renoncé à l'emploi des tracts ; le grand
nombre d'agents dont nous disposons nous permet
de substituer à toutes les autres la propagande orale,
la plus dangereuse celle qui coute le plus d'hommes,
mais la plus sûre. Liao-Chung-Hoï, le commissaire
aux finances du Gouvernement (que les terroristes veulent assassiner) est parvenu, grâce à un
nouveau système de perception des impôts établi
par des techniciens de l'Internationale, à faire
récupérer par l'État des sommes importantes, et
les fonds de propagande sont, de nouveau, suffi-
sants. Dans quelques semaines, le service du ravi-
taillement de l'ennemi et toute son administration
seront désorganisés ; et il est difficile d'obliger
à combattre des mercenaires sans solde. De plus,

u 1e centaine d'hommes, dont leurs chefs répondent, vont se faire engager par Tcheng-Tioung-Ming, sachant fort bien qu'ils risquent d'être fusillés et par lui comme traîtres, et par nos troupes comme ennemis : avant-hier, trois de nos agents, découverts, ont été étranglés après avoir été torturés pendant plus d'une heure.

Les chefs des sections de propagande à l'armée de Tcheng sont partis entre deux rangs de portes entr'ouvertes : les jeunes Chinois aux vestons cintrés et aux larges pantalons, qui n'aiment pas à se nourrir de mets nationaux et s'expriment de préférence en Anglais, ceux qui reviennent des Universités d'Amérique et ceux qui reviennent des Universités russes, les « affectés » et les « ours léninistes » regardaient passer, avec une condescendance dédaigneuse, les agents qui partaient s'engager dans les troupes ennemies...

*_*_*

Chacun son tour.

Nouvelles de Shanghaï :

Suivant les directives du Kuomintang, la Chambre de commerce chinoise décrète la confiscation des marchandises britanniques qui se trouvent entre les mains des Chinois. Elle interdit, à partir du 30 juillet et pour une durée d'un an, l'achat de toute marchandise anglaise, le transfert de toute marchandise par un navire anglais.

Les journaux de Shanghaï déclarent que le trafic britannique se trouvera réduit de 80 %.

Ce trafic (Hongkong mis à part) a été évalué l'année dernière à vingt millions de livres !

Hongkong ne peut plus compter que sur l'armée de Tcheng-Tioung-Ming.

Nicolaïeff a reçu les mots suivants, écrits en capitales : « SI LING N'EST PAS EN LIBERTÉ DEMAIN, LES OTAGES SERONT EXÉCUTÉS » Les terroristes possèdent-ils réellement des otages ? Nicolaïeff ne le croit pas. Mais plusieurs des nôtres ont été envoyés en mission pour quelques jours, et nous manquons de tout moyen de contrôle.

6 heures.

Un planton de la prison apporte à Garine des papiers : l'interrogatoire de Ling. Il lit. Dès qu'il a fini, je m'approche.

— Il a parlé ?

— Encore un qui donne raison à Nicolaïeff. Ah ! il n'y a pas beaucoup d'hommes qui résistent à la souffrance...

— Et... ç'a été long ?

— Penses-tu !

— Que va-t-on en faire ?

— Que diable veux-tu qu'on en fasse ? On ne met pas un chef terroriste en liberté.

— Alors ?

— Les prisons sont pleines, bien entendu... Et

enfin, il sera jugé par le tribunal spécial. Oui, tout
s'apprend, comme dit Nicolaïeff : primo, où est
Hong ; secundo, qu'il veut me faire descendre
(prévu ! prévu !) ; tertio, que c'est bien par son
ordre que Tcheng-Daï a été tué : le meurtrier
est l'un des boys.

— Mais nous avions des indicateurs à l'intérieur ?

— Un seul : ce boy, indicateur double. Il nous
a joués, mais pas longtemps. Bien entendu, il est
déjà incarcéré. Un peu plus tard, il servira pour
un procès, s'il y a lieu...

— Un peu dangereux, non ?

— Oh ! c'est un opiomane. Si Nicolaïeff lui
supprime sa drogue quelques jours et lui promet
qu'il ne sera pas exécuté, il parlera comme il
convient...

— Dis donc, il y a encore des types qui croient
aux promesses de ce genre ?

— La suppression de l'opium suffirait...

Il s'arrête, hausse les épaules, lentement.

« C'est terriblement simple, un homme qui va
mourir...

Et, quelques minutes plus tard, comme s'il
suivait sa pensée :

— Presque toutes mes promesses, à moi, ont été
tenues...

— Mais comment veux-tu qu'ils distinguent...

— Qu'est-ce que tu veux que j'y fasse ?

8 *Août.*

**.

Hong a été arrêté hier soir, dans la maison où il se cachait.

**.

Les Anglais, à Hongkong, réunissent peu à peu les ouvriers qui doivent reprendre le travail du port. Lorsqu'ils disposeront d'un assez grand nombre de ces hommes — Annamites et Japonais — qui, actuellement, attendent dans des baraquements les ordres du gouverneur, ils réorganiseront leurs services et l'activité de la ville, d'un coup, renaîtra. Que notre action faiblisse, et toute une ville de bateaux chargés de marchandises reprendra le chemin de Canton, et la puissante carcasse d'île retrouvera la vie qui l'a abandonnée... A moins que le décret que nous attendons ne soit signé. Mais ce décret, c'est la reconnaissance de la guerre des syndicats, c'est l'affirmation de la volonté du Gouvernement cantonais lui-même — et de la puissance de l'Internationale en Chine...

Le lendemain.

Garine est assis derrière son bureau, très fatigué, le dos voûté, le menton dans les mains, et les coudes, comme à l'ordinaire, appuyés sur des papiers qu'ils font bouffer. Sa ceinture est allongée sur une chaise. Entendant des pas, il ouvre les yeux, écarte lentement de la main ses cheveux qui pendent et lève la tête : Hong entre, suivi de deux soldats. Il ne s'est pas laissé arrêter sans lutte : des traces de coups ont marqué son visage où brillent, douloureux, ses petits yeux d'asiatique. Dès qu'il est entré dans la pièce, il s'arrête, les bras derrière le dos, les jambes écartées.

Garine le regarde et, engourdi par la fièvre, attend. Son corps est complètement affaissé. Sa tête exténuée dérive lentement de droite à gauche, comme s'il allait s'endormir... Soudain il respire profondément ; il s'est ressaisi. Il hausse les épaules. Hong, qui à ce moment même lève les yeux, les sourcils froncés, le voit, échappe un instant aux soldats et tombe, arrêté par un coup de crosse. Il avait vu le revolver de Garine dans sa gaîne, sur la chaise, et se jetait dessus.

Il se relève.

— En voilà assez, dit Garine en français. Et, er cantonais : « Emmenez-le. »

Les soldats l'emmènent.

Silence.

— Garine, par qui doit-il être jugé ?

— ... Quand j'ai vu qu'il était là, j'ai failli me
lever et lui dire : « Alors, quoi ? » comme à un
gosse qui a fait des blagues. C'est pour cela que j'ai
haussé les épaules et qu'il a cru que je l'insultais...
Encore un... Bêtise !

Puis, comme s'il entendait soudain la question
que je lui ai posée, il ajoute d'un ton plus rapide :

« Par le Tribunal spécial. Il en a encore pour
vingt-quatre heures. »

Le lendemain.

Garine est en train de donner à un fabriquant
de montres des photos de Tcheng-Daï et de Sun-
Yat-Sen ornées d'inscriptions antianglaises — mo-
dèles de boîtiers. Un planton apporte un pli cacheté.

— Qui a apporté ça ?

— Permanence des gens de mer, Commissaire.

— Le camarade est là?

— Oui, Commissaire.

— Fais-le entrer. Allez ! Tout de suite !

Entre un coolie, porteur du brassard du Syndicat
des gens de Mer.

— C'est toi qui as apporté ça ?

— Oui, Commissaire.

— Où sont les corps ?

— A la permanence, Commissaire.

Garine m'a passé le pli décacheté : les corps de
Klein et de trois Chinois assassinés ont été retrouvés

dans une maison de prostitution, le long du fleuve.
Les otages...

— Où sont les objets ?

— Je ne sais pas, Commissaire.

— Enfin, quoi, on a vidé leurs poches ?

— Non, Commissaire.

Garine, aussitôt, se lève, prend son casque et me
fait signe de le suivre. Le coolie monte à côté du
chauffeur, et nous partons.

Dans l'auto :

— Dis donc, Garine ? Il vivait ici avec une
blanche, Klein, n'est-ce pas ?

— Et après !

Les corps ne sont pas à la Permanence, mais
dans la salle des réunions. Un Chinois veille à la
porte, assis par terre ; près de lui est un gros chien
qui veut entrer ; chaque fois que le chien approche,
le Chinois allonge une jambe et lui envoie un coup
de pied. Le chien saute et s'écarte, sans crier ; puis
il se rapproche. Le Chinois nous regarde venir.
Lorsque nous arrivons devant lui, il appuie la tête
contre le mur, ferme à demi les yeux et pousse la
porte de la main, sans se lever. Le chien, à quelque
distance, tourne autour de lui.

Nous entrons. Atelier désert, au sol de terre
battue, avec des amas de poussière dans les coins.
Bien que tamisée par des vitres bleues du toit, la
lumière est éclatante et, dès que je lève les yeux
je vois les quatre corps, *debout*. Je les cherchais à
terre. Ils sont déjà raides, et on les a posés contre
le mur, comme des pieux. J'ai d'abord été saisi et
presque étourdi : ces corps droits ont quelque chose,

non de fantastique, mais de surréel, dans cette
lumière et ce silence. Je retrouve maintenant ma
respiration et, avec l'air que j'aspire, une odeur
m'envahit qui ne ressemble à aucune autre, ani-
male, forte et fade à la fois : l'odeur des cadavres.
Garine appelle le gardien qui se lève, lentement,
comme à regret, et s'approche.

« — Apporte des toiles. »

Appuyé à la porte, l'homme le regarde d'un air
ahuri et semble ne pas comprendre.

« Apporte des toiles ! »

Il ne bouge pas davantage. Garine, les poings
fermés, avance, puis s'arrête.

« Dix taëls si tu apportes les toiles avant une
demi-heure. Tu m'entends ? »

Le Chinois s'incline et part.

Mes muscles, tout à l'heure crispés, se détendent :
les paroles ont fait pénétrer dans la salle quelque
chose d'humain. Mais, me retournant, je vois le corps
de Klein — je le reconnais aussitôt, à cause de sa
taille — une large tache au milieu du visage : la
bouche agrandie au rasoir. Et aussitôt mes muscles,
de nouveau, se contractent, à tel point cette fois que
je serre mes bras contre mon corps et que je suis
obligé de m'appuyer — moi aussi — contre le mur.
Je détourne les yeux : blessures ouvertes, grandes
taches noires de sang caillé, yeux révulsés, tous les
corps sont semblables. Ils ont été torturés... Une
des mouches qui volent ici vient de se poser sur
mon front, et je ne peux pas, je ne peux pas lever
mon bras.

« Il faudrait pourtant lui fermer les yeux », dit

Garine, presque à voix basse, en s'approchant du corps de Klein.

Sa voix me réveille, et je chasse la mouche avec un réflexe rapide, violent, maladroit. Garine approche deux doigts écartés en ciseaux des yeux — des yeux blancs.

Sa main retombe.

« Je crois qu'ils ont coupé les paupières... »

Il ouvre maladroitement la tunique de Klein, en tire un portefeuille dont il examine le contenu. Il met à part une feuille pliée et relève la tête : le Chinois revient, tenant entre ses doigts les bâches dépliées, qui bouillonnent et traînent. Il n'a trouvé rien autre. Il commence à coucher les corps côte à côte. Mais nous entendons des pas, et une femme entre, les coudes collés au corps, voûtée. Garine saisit mon bras brutalement et recule.

— Elle aussi ! dit-il très bas. Quel crétin a bien pu lui dire qu'il est ici ?

Elle ne nous a pas regardés. Elle va droit à Klein, heurte en passant un des corps couchés, titube... Elle est en face de lui, et le regarde. Elle ne bouge pas, ne pleure pas. Rien. Les mouches autour de sa tête. L'odeur. Dans mon oreille, la respiration chaude, haletante, de Garine.

D'un seul coup, elle tombe sur les genoux. Elle ne prie pas. Elle est accrochée au corps par ses mains aux doigts écartés, encastrés dans les flancs. On dirait qu'elle s'est agenouillée devant les tortures que représentent toutes ces plaies et cette bouche qu'elle regarde, ouverte jusqu'au menton par un sabre ou un rasoir... Je suis certain qu'elle ne

prie pas. Tout son corps tremble... Et, d'un coup,
comme elle est tombée à genoux tout à l'heure, elle
saisit à pleins bras le corps; l'étreinte est convulsive;
elle remue la tête avec un mouvement incroyablement douloureux de tout le buste... Avec une terrible tendresse elle frotte son visage, sauvagement,
sans un sanglot, contre la toile sanglante, contre
les plaies...

Garine, qui tient toujours mon bras, m'entraîne.
A la porte, le Chinois s'est assis de nouveau ; il ne
regarde même pas. Mais il a tiré le pan de la tunique de Garine. Celui-ci sort de sa poche un billet,
et le lui donne :

« Quand elle sera partie, tu les recouvriras tous. »

Dans l'auto, il ne dit pas un mot. Il s'est d'abord
affaissé, les coudes sur les genoux. La maladie l'affaiblit chaque jour. Les premiers chocs l'ont fait
sauter, et il s'est allongé, la tête presque sur la
capote, les jambes raides.

Quittant l'auto devant sa maison, nous montons
dans la petite pièce du premier étage. Les stores
sont baissés ; il semble plus malade et plus fatigué
que jamais. Sous ses yeux, deux rides profondes,
parallèles à celles qui vont du nez aux extrémités
de la bouche, limitent de larges taches violettes ;
et ces quatre rides, tirant sous ses traits comme
la mort, semblent déjà décomposer son visage.
(« S'il reste encore quinze jours, disait Myroff,
il restera plus longtemps qu'il ne le souhaite... »
Il y a plus de quinze jours...) Il demeure quelque
temps silencieux, puis dit, à mi-voix, comme s'il
s'interrogeait :

« Pauvre type... Il disait souvent : la vie n'est pas ce qu'on croit...

« La vie n'est jamais ce qu'on croit ! jamais ! »

Il s'assied sur le lit de camp, le dos courbé ; ses doigts, posés sur ses genoux, tremblent comme ceux d'un alcoolique.

«J'ai eu pour lui une amitié d'homme... Découvrir l'absence de paupières, et penser que l'on allait toucher des yeux...

Sa main droite, involontairement s'est crispée. Laissant aller tout son corps en arrière, il s'appuie au mur, les yeux fermés. La bouche et les narines sont de plus en plus tendues, et une tache bleue s'étend des sourcils à la moitié des joues.

« Je parviens souvent à oublier... Souvent... Pas toujours. De moins en moins... Qu'ai-je fait de ma vie, moi? Mais, bon Dieu, que pouvais-je en faire, à la fin !... Ne jamais rien voir !... Tous ces hommes que je dirige, dont j'ai contribué à créer l'âme, en somme ! je ne sais pas même ce qu'ils feront demain... A certains moments, j'aurais voulu tailler tout ça comme du bois, penser : voici ce que j'ai fait. Édifier, avoir le temps pour soi... Comme on choisit ses désirs, hein ? »

La fièvre monte. Dès qu'il s'est animé, il a sorti de sa poche sa main droite et il accompagne ses phrases du geste de l'avant-bras qui lui est habituel. Mais le poing reste fermé.

« Ce que j'ai fait, ce que j'ai fait ! Ah, là là ! je pense à l'empereur qui faisait crever les yeux de ses prisonniers, tu sais, et qui les renvoyait dans leur pays, en grappes, conduits par des borgnes : les conducteurs borgnes, eux aussi, de fatigue, devenaient

aveugles peu à peu. Belle image d'Épinal pour
exprimer ce que nous foutons ici, plus belle que les
petits dessins de la Propagande. Quand je pense
que toute ma vie j'ai cherché la liberté !... Qui donc
est libre ici, de l'Internationale, du peuple, de moi,
des autres ? Le peuple, lui, a toujours la ressource
de se faire tuer. C'est bien quelque chose...

— Pierre, tu as si peu confiance ?

— J'ai confiance en ce que je fais. En ce que je
fais. Quand je ne suis pas en face de...

Il s'arrête. Mais le visage sanglant et les yeux
blancs de Klein sont entre nous.

« Ce qu'on fait, quand on sait qu'on sera bientôt
obligé de cesser de le faire...

Il réfléchit, et reprend amèrement :

« Servir, c'est une chose que j'ai toujours eue
en haine... Ici, qui a servi plus que moi, et mieux?...
Pendant des années — des années — j'ai désiré la
puissance, jusqu'à l'abrutissement : je ne sais pas
même en envelopper ma vie. Klein était à Moscou,
n'est-ce pas, lorsque Lénine est mort. Tu sais que
pour défendre Trotsky, Lénine avait écrit un article
qui devait paraître dans... la Pravda, je crois.
Sa femme l'avait remis elle-même. Le matin, elle
lui a apporté les journaux : il ne pouvait presque
plus bouger. « Ouvre ! » Il a vu que son article
n'était pas publié. Sa voix était si rauque que
personne n'a compris ses paroles. Son regard
est devenu d'une telle intensité que tous ont suivi
sa direction : il regardait sa main gauche. Il l'avait
posée à plat sur les draps, la paume en l'air, comme
ça. On voyait qu'il voulait prendre le journal, mais
qu'il ne pouvait pas...

Violemment, il a ouvert sa main droite, les doigts tendus, et, pendant qu'il continue à parler il en recourbe les doigts à l'intérieur, lentement, et les regarde.

« Tandis que la main droite restait immobile, la gauche a commencé de refermer ses doigts, comme une araignée repliant ses pattes... »

« Il est mort peu de temps après...

« Oui, Klein disait : comme une araignée... Depuis qu'il m'a raconté cela, je n'ai jamais pu oublier cette main-là, ni ces articles... refusés...

— Tu ne veux pas que j'aille chercher de la quinine ?

— Mon père me disait souvent : « Il ne faut jamais lâcher la terre ». Il avait lu cela quelque part. Il me disait aussi qu'il faut être attaché à soi-même : il n'était pas d'origine protestante pour rien. Attaché ! La petite cérémonie au cours de laquelle on attachait un vivant à un mort s'appelait... mariage républicain, n'est-ce pas ? Oui, c'est ça, républicain. Je pensais bien qu'il y aurait encore de la liberté là-dedans... L'autre m'a raconté...

— Qui ?

— Klein, naturellement ! que dans je ne sais quelle ville où les cosaques étaient obligés de nettoyer la population, un crétin reste plus de vingt secondes le sabre levé au-dessus de la tête des gosses : « Allons, grouille-toi » ! hurle Klein. — « Je ne peux pas, répond l'autre. J'ai pitié. Alors, faut le temps... »

Il lève les yeux et me regarde, avec une étrange dureté :

— Ce que j'ai fait ici, peu d'hommes l'auraient

fait comme moi. Et après? Klein, son corps crevé partout, sa bouche agrandie au rasoir, sa lèvre pendante… Rien pour moi, rien pour les autres. Sans parler des femmes comme celle que nous avons vue tout à l'heure, qui ne peuvent rien faire de plus que frotter leur tête désespérée contre des plaies… Quoi ? Oui, entrez ! »

C'est le planton de la Propagande, qui apporte une lettre de Nicolaïeff. Les troupes cantonaises, regroupées après leur défaite de Chowchow, viennent d'être à nouveau battues par Tcheng-Tioung-Ming, et le Comité fait appel à l'armée rouge de la façon la plus pressante. Garine sort de sa poche une feuille blanche, écrit simplement : LE DÉCRET, signe, et donne la feuille au planton.

— Pour le Comité.

— Tu n'as pas peur de les vexer ?

— Nous n'en sommes plus là ! Les discussions, j'en ai assez. Je suis excédé de leur lâcheté, de leur besoin de ne jamais se compromettre tout à fait. Ils savent qu'ils ne pourront pas révoquer ce décret-là : le peuple ne pense qu'à Hongkong (sans parler de nous). Et s'ils ne sont pas contents…

— Eh bien ?

— Eh bien, avec toutes les sections auxquelles nous avons laissé leurs armes nous pouvons jouer les Tang, au besoin. J'en ai assez !

— Mais si l'armée rouge était battue ?

— Elle ne le sera pas.

— Si elle l'était ?

— Quand on joue, on peut perdre. Cette fois, nous ne perdrons pas.

Et, tandis que je pars chercher la quinine, je l'entends qui dit, entre ses dents :

« Il y a tout de même une chose qui compte, dans la vie : c'est de ne pas être vaincu... »

*
* *

Trois jours plus tard.

Nous rentrons pour déjeuner, Garine et moi. Quatre coups de revolver ; le soldat assis à côté du chauffeur se lève : « Ça y est ! » dit Garine. Je regarde, et recule aussitôt la tête : une cinquième balle vient de frapper la portière. C'est sur notre auto que l'on tire. Le soldat riposte. Une vingtaine d'hommes s'enfuient, manches au vent. Deux corps par terre. L'un est celui d'un homme que le soldat a blessé par erreur, l'autre celui de l'homme au revolver : un parabellum tombé près de sa main ouverte, et qui luit dans le soleil.

Le soldat descend, et s'approche de lui. « Mort », crie-t-il. Il ne s'est pas même baissé. Il appelle, demande des porteurs et une civière pour transporter à l'hôpital l'autre Chinois, blessé au ventre... L'auto, avec une secousse, passe le seuil.

« Le type était brave, me dit Garine en descendant. Il aurait pu essayer de fuir. Il n'a cessé de tirer que lorsqu'il est tombé... Il avait sûrement fait le sacrifice de sa vie... »

Pour descendre il fait presque demi-tour, et je

vois que son bras gauche est couvert de sang.

— Mais...

— Ce n'est rien. L'os n'est pas touché. Et là balle est ressortie. Allons, c'est raté !

En effet, il y a deux trous dans la tunique.

« J'avais la main sur le dossier du siège du chauffeur. L'embêtant, c'est que je saigne comme un veau. Veux-tu allez chez Myroff ?

— Évidemment. Où est-ce ?

— Le chauffeur sait.

Pendant que le chauffeur fait tourner l'auto pour repartir, Garine dit, entre ses dents :

« C'est peut-être dommage... »

Je reviens, accompagné de Myroff. Ce médecin maigre et blond, à tête de cheval, ne parlant couramment que le russe, nous nous taisons tous deux. Le chauffeur, pour pouvoir faire entrer l'auto, est obligé de disperser un cercle de badauds qui s'est formé autour de l'homme mort.

Garine est dans sa chambre. Je reste dans la petite pièce qui la précède, et j'attends...

Un quart d'heure plus tard, le bras en écharpe, il reconduit Myroff, revient, se couche en face de moi sur le lit de bois noir, avec une grimace, se retourne, cherche une place, se cale. Lorsqu'il se tient ainsi, presque dans l'ombre, je ne distingue de son visage que des lignes dures : la barre presque droite des sourcils, l'arête mince et éclairée du nez, les mouvements de la bouche qui, lorsqu'il parle, se tend vers le menton.

« Il commence à m'embêter, celui-là !

— Qui ? Myroff ? Il dit que c'est grave ?

— Ça ? (Il montre son bras). Penses-tu !
je m'en fous pas mal. Non, il dit qu'il faut — qu'il
faut absolument — que je parte. »

Il ferme les yeux.

« Et ce qu'il y a de plus embêtant, c'est que je
crois qu'il a raison.

— Alors pourquoi rester ?

— C'est compliqué. Ah ! bon sang, qu'on est
mal sur ce lit de camp ! » Il se dresse, puis s'assied,
le menton dans la main droite, le coude sur le
genou, le dos en arc. Il réfléchit.

« Ces temps derniers, j'ai été souvent obligé de
penser à ma vie. J'y pensais encore, tout à l'heure,
pendant que Myroff jouait les augures : l'autre
aurait pu ne pas me manquer... Ma vie, vois-tu,
c'est une affirmation très forte, mais, quand j'y
pense ainsi il y a une image, un souvenir qui revient
toujours...

— Oui, tu me l'as dit à l'hôpital.

— Non : mon procès, maintenant, je n'y pense
plus. Et ce dont je te parle n'est pas une chose
à laquelle je pense ; c'est un souvenir plus fort que
la mémoire. C'est pendant la guerre, à l'arrière.
Une cinquantaine de bataillonnaires enfermés dans
une grande salle, où le jour pénètre par une petite
fenêtre grillée. La pluie est dans l'air. Ils viennent
d'allumer des cierges volés à l'église voisine.
L'un, vêtu en prêtre, officie devant un autel de
caisses recouvertes de chemises. Devant lui, un
cortège sinistre : un homme en frac, une grosse
fleur de papier à la boutonnière, une mariée tenue
par deux femmes de jeu de massacre et d'autres
personnages grotesques dans l'ombre. Cinq heures :

la lumière des cierges est très faible. J'entends :
« Tenez-là bien, qu'elle s'évanouisse pas, c'te
chérie ! » La mariée est un jeune soldat arrivé hier
Dieu sait d'où, qui s'est vanté de passer sa baïonnette au travers du corps du premier qui préten-
drait le violer. Les deux femmes de carnaval le
tiennent solidement ; il est incapable de faire un
geste, les paupières presque fermées, à demi-
assommé sans doute. Le maire remplace le curé,
puis, les cierges éteints, je ne distingue plus que
des dos qui sortent de l'ombre accumulée près du
sol. Le type hurle. Ils le violent, naturellement,
jusqu'à satiété. Et ils sont nombreux. Oui, je
suis obsédé par ça, depuis quelque temps… Pas à
cause de la fin de l'action, bien sûr : à cause de
son début absurde, parodique…

Il réfléchit encore.

« Ce n'est pas sans rapport, d'ailleurs, avec les
impressions que j'éprouvais pendant le procès…
C'est une association d'idées assez lointaine…

Il rejette en arrière ses cheveux qui tombent
devant son visage, et se lève, comme s'il se secouait.
L'épingle qui fixe son écharpe saute, et le bras
tombe : il se mord les lèvres. Tandis que je cherche
l'épingle à terre, il dit, lentement :

« Il faut faire attention : quand mon action se
retire de moi, quand je commence à m'en séparer,
c'est aussi du sang qui s'en va… Autrefois, quand
je ne faisais rien, je me demandais parfois ce que
valait ma vie. Maintenant, je sais qu'elle vaut plus
que celle de presque… » Il n'achève pas ; je relève
la tête en lui tendant l'épingle : la fin de la phrase,
c'est un sourire tendu où il y a de l'orgueil — et une

sorte de rancune... Dès que nos regards se ren-
contrent, il reprend, comme s'il était rappelé à
la réalité : « Où en étais-je ?... »

Je cherche, moi aussi :

— Tu me disais que tu pensais souvent à ta vie,
de nouveau.

— Ah ! oui. Voici...

Il s'arrête, ne trouvant pas la phrase qu'il cherche.

— Il est toujours difficile de parler de ces choses
là. Voyons... Lorsque je donnais de l'argent aux
sages-femmes, tu penses bien que je ne me faisais
pas d'illusions sur la valeur de la « cause », et pourtant je savais que le risque était grand : j'ai con-
tinué malgré les avertissements. Bien. Lorsque j'ai
perdu ma fortune je me suis presque laissé aller
au mécanisme qui me dépouillait : et ma ruine n'a
pas peu contribué à me conduire ici. Mon action me
rend aboulique à l'égard de tout ce qui n'est pas
elle, à commencer par ses résultats. Si je me suis
lié si facilement à la Révolution, c'est que ses résultats sont lointains et toujours en changement.
Au fond, je suis un joueur. Comme tous les joueurs,
je ne pense qu'à mon jeu, avec entêtement et avec
force. Je joue aujourd'hui une partie plus grande
qu'autrefois, et j'ai appris à jouer ; mais c'est toujours le même jeu. Et je le connais bien ; il y a dans
ma vie un certain rythme, une fatalité personnelle,
si tu veux, à quoi je n'échappe pas. Je m'attache
à tout ce qui lui donne de la force... (J'ai appris
aussi qu'une vie ne vaut rien, mais que rien
ne vaut une vie...). Depuis quelques jours, j'ai
l'impression que j'oublie peut-être ce qui est
capital, qu'autre chose se prépare... Je prévoyais

aussi procès et ruine, mais comme ça, dans le vague... Enfin, quoi ! si nous devons abattre Hongkong, j'aimerais...

Mais il s'arrête, se redresse d'un coup avec une grimace, murmure : « Allons ! tout ça... » et se fait apporter les dépêches.

Le lendemain.

LE DÉCRET EST PROMULGUÉ. Nous avons fait avertir aussitôt les sections de Hong-kong. Et l'avant-garde rouge, qui se tenait à 60 kilomètres du front, vient de recevoir l'ordre de monter en ligne : il ne reste que Tcheng-Tioung-Ming entre la puissance et nous.

15 Août.

Jour de fête, en France... Fête à la cathédrale, naguère. Aujourd'hui, la cathédrale est transformée en asile et gardée par les soldats rouges : Borodine a fait décréter la confiscation des monuments religieux au profit de l'état. Spectacle d'une misère dont rien, en Europe, ne peut donner l'idée : misère bestiale de l'animal qui souffre d'une maladie de peau et regarde avec des yeux sans appel et sans haine, atones, perdus. Devant ces hommes, monte en moi un sentiment grossier, animal comme

ce spectacle, fait de honte, d'effroi, et de la joie
ignoble de n'être pas semblable à eux. La pitié ne
vient que lorsque je ne vois plus cette maigreur,
ces membres de mandragores, ces haillons, ces
croûtes larges comme des mains sur la peau ver-
dâtre, et ces yeux, ces yeux déjà vitreux, troubles,
sans regard humain — lorsqu'ils ne sont pas
fermés...

Je parle de tout cela à Garine, à mon retour :
« Manque d'habitude, répond-il. Le souvenir d'un
certain degré de misère met à leur place les choses
humaines, comme l'idée de la mort. Ce qu'il y a
de meilleur en Hong vient de là. Le courage du
type qui a tiré sur moi en venait sans doute
aussi... Ceux qui sont trop profondément tombés dans la misère n'en sortent jamais : ils
s'y dissolvent comme s'ils avaient la lèpre. Mais
les autres sont, pour les besognes... secondaires,
les instruments les plus forts, sinon les plus
sûrs. Du courage, aucune idée de dignité, et de
la haine...

« Tu me fais penser à une phrase de Lénine que
Hong s'est fait tatouer en anglais, exprès, sur le
bras : « Saisirons-nous un monde qui n'aura pas
saigné jusqu'au bout ? » D'abord il l'admirait
fanatiquement ; ces derniers temps, il la haïssait,
avec le même fanatisme. Je crois que c'est par haine
qu'il l'a laissée...

— Et parce que les tatouages ne s'effacent
pas.

— Oh ! il l'aurait brûlée... C'est un garçon qui
hait fortement.

— *Haïssait...*

Il me regarde, avec gravité :

— Oui, haïssait.....

Et, après un instant, il ajoute, considérant avec attention une palme qui barre la fenêtre :

« Penser que, pour Lénine, l'espoir même avait cette couleur-là !... »

Je le regarde, profil noir dans la lumière. Ainsi, il n'a pas changé. Et ce profil semblable à celui qui était le sien lors de mon arrivée ici, voici presque deux mois, semblable même à celui que j'ai connu jadis, donne toute sa force à la modification de sa voix. Depuis le soir où je l'ai vu à l'hôpital, il semble se séparer de son action, la laisser s'écarter de lui avec la santé, avec la certitude de vivre. Une phrase qu'il vient de dire est encore en moi : « Le souvenir d'un certain degré de misère met à leur place les choses humaines, comme l'idée de la mort... » La mort lui sert souvent de point de comparaison, maintenant...

Le chef du service cinématographique de la propagande entre :

« Commissaire, les nouveaux appareils de prise de vues sont arrivés de Vladivostock. Et nos films sont prêts. Si vous voulez voir la projection ? »

Aussitôt, sur le visage de Garine, l'expression de décision et de dureté reparaît. Et c'est presque du ton ancien de sa voix qu'il répond :

« Allons. »

17 *Août.*

Une partie des troupes ennemies vient d'être battue devant Waïtchéou par l'avant-garde rouge. Nous avons repris la ville : deux canons, des mitrailleuses, des tracteurs et un grand nombre de prisonniers sont tombés entre nos mains. (Les mitrailleuses sont des mitrailleuses anglaises.) Trois officiers anglais prisonniers sont déjà partis pour Canton. Les maisons des notables qui entretenaient des relations amicales avec les officiers ennemis ont été incendiées.

Tcheng regroupe son armée ; avant huit jours, la bataille sera livrée. Tout ce dont dispose la Propagande est employé aujourd'hui ; les chefs des corporations ont reçu l'ordre de faire coller nos affiches par les hommes qu'ils dirigent : il y a des affiches sur les toits de tôle ondulée, sur les glaces des marchands de vin, dans tous les bars, dans les voitures publiques, sur les pousses, sur les poteaux du marché, sur le parapet des ponts, chez tous les commerçants : collées aux pankas chez les barbiers, tendues sur des bambous chez les marchands de lanternes, posées sur les vitrines dans les bazars, pliés en éventail dans les vitrines des restaurants, fixées aux voitures par du papier gommé dans les garages C'est un jeu dont la ville tout entière s'amuse ; et partout on voit ces affiches, nombreuses comme en Europe les journaux le

matin entre les mains des passants, assez petites,
(les grandes ne sont pas encore tirées), avec leurs
superbes cadets victorieux et leurs soldats cantonais entourés de rayons qui regardent s'enfuir des
Anglais hâves et des Chinois verts ; et au-dessous,
plus petits, un étudiant, un paysan, un ouvrier,
une femme et un soldat qui se tiennent par la
main.

Depuis la fin de la sieste, l'enthousiasme a succédé
à la gaîté. Des soldats débraillés parcourent les
rues en fête ; tous les habitants sont hors de chez
eux ; une foule dense longe le quai, lente, grave,
tendue par une exaltation silencieuse. Avec fifres,
gongs et pancartes, des cortèges défilent, suivis
par des enfants. Des étudiants en troupes avancent, brandissant des petits drapeaux blancs qui
s'agitent, apparaissent et disparaissent ainsi qu'une
écume marine au-dessus des robes et des costumes
blancs serrés comme ceux d'une armée. La masse
lourde et calme de la foule avance lentement,
compacte, s'ouvrant devant les cortèges et laissant
derrière eux un sillage hésitant d'où sortent des
casques et des panamas levés au bout des bras.
Sur les murs, nos affiches, et sur les toits d'immenses pancartes hâtivement peintes traduisent
la victoire en images. Le ciel est blanc et bas ;
dans la chaleur, la procession avance comme si
elle se rendait à un temple. Nombre de vieilles
Chinoises suivent, portant sur le dos, dans une
toile noire, un enfant somnolent, la mèche dressée.
Une lointaine rumeur de gongs, de pétards, de
cris et d'instruments monte du sol avec le bruit

confus des pas et le claquement assourdi des socques innombrables. Jusqu'à hauteur d'homme la poussière danse, âcre, râpant la gorge, et va se perdre en lents tourbillons dans les petites rues presque désertes, où n'apparaissent plus que quelques attardés qui se hâtent, gênés par leurs habits du jour de l'an. Les volets de presque tous les magasins sont entr'ouverts ou fermés, comme les jours de grandes fêtes.

Jamais je n'ai éprouvé aussi fortement qu'aujourd'hui l'isolement dont me parlait Garine, la solitude dans laquelle nous sommes, la distance qui sépare ce qu'il y a en nous de profond des mouvements de cette foule, et même de son enthousiasme...

*
* *

Le lendemaiu.

Garine revient de chez Borodine, furieux.

« Je ne dis pas qu'il ait tort d'employer la mort de Klein, comme il emploierait autre chose. Ce que j'ai trouvé idiot, ce qui m'a exaspéré, c'est la prétention qu'il a eue de m'obliger à parler, moi, sur sa tombe. Les orateurs sont nombreux. Mais non ! Il est dominé de nouveau par l'insupportable mentalité bolchevique, par une exaltation stupide de la discipline. Ça le regarde ! Mais je n'ai pas laissé l'Europe dans un coin comme un sac de chiffons, au risque de finir à la façon d'un Rebecci quelconque, pour venir enseigner ici le mot obéissance, ni pour l'apprendre. « Il n'y a pas de demi-mesures en face de la révolution. » Ah ! là là ! Il y a des demi-mesures partout où il y a des hommes, et non des machines... Il veut fabriquer des révolutionnaires comme Ford fabrique des autos ! Ça finira mal, et avant longtemps. Dans sa tête de Mongol chevelu, le bolchevik lutte contre le Juif : si le bolchevik l'emporte, tant pis pour l'Internationale... »

***

Dès que le Décret a été connu à Hongkong, les Anglais se sont réunis au Grand Théâtre et ont, de nouveau, télégraphié à Londres pour demander l'envoi d'une armée anglaise. Mais la réponse est arrivée, télégraphiquement : le Gouvernement anglais s'oppose à toute intervention militaire.

***

L'interrogatoire des officiers anglais prisonniers a été enregistré sur des disques de phonographe, et ces disques ont été envoyés aux sections en grand nombre. Mais chaque officier s'est défendu d'être venu combattre contre nous par obéissance aux instructions de son gouvernement ; il a fallu couper ce passage de l'interrogatoire. Il va falloir fabriquer des disques beaucoup plus *instructifs* : plusieurs d'entre nous parlent l'anglais sans accent. Garine dit que l'on conteste un article de journal mais non une image ou un son, et qu'à la propagande par le phono et le cinéma, on ne peut d'abord répondre que par le phono et le cinéma ; ce dont la propagande anglaise en Asie est encore incapable.

*
*

« Il fait de bonnes choses avant de partir... me dit ce matin Nicolaïeff. « Il », c'est Garine.

— Avant de partir ?

— Oui, je crois que son départ aura lieu, cette fois.

— Il doit partir chaque semaine...

— Oui, oui, mais cette fois il partira, tu verras. Il s'est décidé. Si l'Angleterre avait envoyé des troupes, je crois qu'il serait resté ; mais il connaît la réponse de Londres. Je pense qu'il n'attend plus que le résultat de la prochaine bataille... Myroff dit qu'il n'arrivera pas à Ceylan...

— Et pourquoi ?

— Mais, mon petit, parce qu'il est perdu, tout simplement.

— On peut toujours dire ça...

— Ce n'est pas *on* qui dit cela, c'est Myroff.

— Il peut se tromper.

— La dysenterie et le paludisme ne sont pas des maladies inconnues. On ne joue pas avec elles, mon petit. Quand on les a, on se soigne Sinon, c'est regrettable... Et puis, autant vaut... !

— Pas pour lui !

— Son temps est fini. Ces hommes-là ont été nécessaires, oui, : mais maintenant, l'armée rouge est prête, Hongkong sera définitivement abattue

dans quelques jours ; il faut des gens qui sachent
s'oublier mieux que lui. Je n'ai pas d'hostilité contre
lui, crois-moi. Travailler avec lui ou avec un autre...
Et pourtant, il a des préjugés. Je ne le lui reproche
pas, mon petit, mais il en a.

Et, souriant d'un côté de la bouche, plissant les
paupières :

— Humain, trop humain, comme dit Borodine.
Voilà où mènent les maladies mal soignées...

Je pense à l'interrogatoire de Ling, à ces résis-
tances de Garine que Nicolaïeff appelle des préjugés...

« Enfin, il exagère ! En vérité, il exagère...
Voyons, pourquoi a-t-il refusé de parler sur la
tombe de Klein ? C'est... je ne sais comment qua-
lifier... c'est ridicule.:. Voyons, voyons, puisqu'il prétendait être son ami, il lui devait bien
cela !

— Je crois que c'est précisément parce qu'il
était son ami qu'il a refusé.

— Mais pourquoi, encore une fois ! Et si chacun
commence à choisir, dans son travail, ce qui lui
plaît...

— Enfin, ce qu'il dit est vrai : il n'est pas seul
ici. Un autre parlera aussi bien que lui.

— Crois-moi, il y a six mois, il n'aurait pas
refusé de parler...

Il se tait, puis pose un doigt sur ma poitrine,
et reprend : « Il n'est pas communiste, voilà.
Moi, je m'en fous, mais, tout de même, Borodine
est logique : il n'y a pas de place dans le communisme pour celui qui veut d'abord... être lui-même,
enfin, exister séparé des autres...

— Le communisme s'oppose à une conscience individuelle ?

— Il exige davantage... L'individualisme est une maladie bourgeoise...

— Mais nous avons bien vu, à la Propagande, que Garine a raison : abandonner ici l'individualisme, c'est se préparer à se faire battre. Et tous ceux qui travaillent avec nous, Russes ou non (exception faite, peut-être, pour Borodine) sont aussi individualistes que lui !

— Tu sais qu'ils viennent de s'engueuler gravement, ce qui s'appelle gravement, Borodine et Garine ? Eh ! Borodine...

Il met ses mains dans ses poches et sourit, non sans hostilité :

« Il y aurait bien des choses à dire sur lui...

— Si les communistes du type romain, si j'ose dire, ceux qui défendent à Moscou les acquisitions de la Révolution, ne veulent pas accepter les révolutionnaires du type... comment dirai-je ? du type : conquérant, qui sont en train de leur donner la Chine, ils...

— Conquérant ? Il trouverait le mot amer, ton ami Garine...

— limiteront dangereusement...

— mais peu importe. Ta distinction n'est pas mauvaise, non... Sais-tu quelle en est la conséquence ? Employer tes « révolutionnaires individualistes » en les faisant... soutenir par deux tchékistes résolus. Résolus. Qu'est-ce que cette police limitée ? Borodine, Garine, tout ça...

D'un geste mou, il semble mélanger des liquides.

« Il finira bien comme ton ami, Borodine :

la conscience individuelle, vois-tu, c'est la maladie
des chefs. Ce qui manque le plus, ici, c'est une
vraie Tchéka...

* *
*

Clapotis, sons de jonques qui se heurtent.
La lune cachée par le toit anime l'air tiède et sans
brouillard. Contre le mur, sous la vérandah, deux
valises : Garine a résolu de partir demain matin.
Depuis longtemps il réfléchit, assis, le regard
perdu, les bras ballants. Au moment où je me lève
pour prendre un crayon rouge et annoter la *Gazette
de Canton* que je viens de lire, il sort de sa torpeur :

« Je pensais encore à la phrase de mon père :
« Il ne faut jamais lâcher la terre. » Vivre dans un
monde absurde ou vivre dans un autre... Pas de
force, même pas de *vraie vie* sans la certitude,
sans la hantise de la vanité du monde... »

Je sais qu'à cette idée est attaché le sens même
de sa vie, que c'est de cette sensation profonde
d'absurdité qu'il tire sa force : si le monde n'est
pas absurde, c'est toute sa vie qui se disperse en
gestes vains, non de cette vanité essentielle qui,
au fond, l'exalte, mais d'une vanité désespérée.
D'où le besoin qu'il a d'imposer sa pensée. Mais
tout en moi cette nuit se défend contre lui ; je me
débats contre sa vérité qui monte en moi, et à qui
sa mort prochaine donne une approbation sinistre.

Ce que j'éprouve, c'est moins une protestation qu'une révolte... Il attend ma réponse, comme un ennemi.

— Ce que tu dis est peut-être vrai. Mais ta façon de le dire suffit à le rendre faux, absolument faux. Si cette vraie vie s'oppose à... l'autre, ce n'est pas ainsi, pas de cette façon pleine de désirs et de rancune !

— Quelle rancune ?

— Il y a ici de quoi lier un homme qui a derrière lui les preuves de force qui sont derrière toi, de quoi...

— Posséder les preuves de sa force, c'est pire...

— De quoi le lier pour toute sa vie, pour...

— Je compte sur toi pour m'en instruire par l'exemple !

Il a répondu avec une ironie presque haineuse. Nous nous taisons tous deux. Je voudrais soudain dire quelque chose qui nous rapproche ; j'ai peur, peur comme un enfant d'un pressentiment, de voir finir ainsi cette amitié, de quitter ainsi cet homme que j'ai aimé, que j'aime encore, malgré ce qu'il dit, malgré ce qu'il pense, et qui va mourir... Mais, une fois de plus, il est plus fort que moi. Il a posé sur mon bras sa main droite, et, avec une lenteur amicale il dit :

« Non, écoute : Je ne cherche pas à avoir raison. Je ne cherche pas à te convaincre. Je suis simplement loyal à l'égard de moi-même. J'ai vu souffrir beaucoup d'hommes, beaucoup. Parfois d'une façon abjecte. Parfois d'une façon terrible. Je ne suis pas un homme doux, mais il m'est arrivé d'avoir profondément pitié, de cette pitié qui

serre la gorge. Eh bien ! quand je me suis retrouvé
seul avec moi-même, cette pitié a toujours fini
par se désagréger. La souffrance renforce l'absurdité
de la vie, elle ne l'attaque pas ; elle la rend déri-
soire. La vie de Klein appelle parfois en moi
quelque chose comme... comme...

Ce n'est pas d'une recherche que vient son
hésitation ; c'est d'une sorte de gêne. Mais il
continue, me regardant dans les yeux : « Allons,
assez : comme un certain rire. Comprends-tu ?
Il n'y a pas de compassion profonde pour ceux
dont la vie n'a pas de sens. Vies murées. Le
monde se reflète en elles grimaçant, comme
dans une glace tordue. Peut-être montre-t-il là
son véritable aspect ; peu importe : cet aspect-là,
personne, personne, entends-tu ! ne peut le supporter. On peut vivre en acceptant l'absurde, on
ne peut pas vivre dans l'absurde. Les gens qui
veulent « lâcher la terre », s'aperçoivent qu'elle
colle à leurs doigts. On ne la fuit pas, on ne la trouve
pas de propos délibéré...

Et, martelant du poing son genou :

— On ne se défend qu'en créant. Borodine
dit que ce qu'édifient seuls les hommes comme
moi ne peut durer. Comme si ce qu'édifient les
hommes comme lui... Ah ! que je voudrais voir
cette Chine, dans cinq ans !

La durée ! Il s'agit bien de ça !

Nous nous taisons tous deux.

— Pourquoi n'es-tu pas parti plus tôt ?

— Pourquoi partir, tant qu'on peut faire autrement ?

— Par prudence...

Il hausse les épaules puis, après un nouveau silence :

« On ne vit pas selon ce qu'on pense de sa vie... »
Encore un silence.

« Et la bête se cramponne, quoi ! »

Il se tait. Un bruit singulier, indéfinissable, imprécis, venu je ne sais d'où, lointain et comme amorti, monte... Il commence à prêter l'oreille, lui aussi. Mais nous entendons un crépitement mou de pneus sur le gravier ; un cycliste vient d'entrer dans la cour. Un son net de pas monte vers nous. Précédé du boy, un courrier apporte deux plis.

Garine ouvre le premier et me le tend : *Toutes les troupes de Tcheng-Tioung-Ming, et les corps de l'armée rouge qui ont gagné le front, sont aux prises. La bataille décisive commence.*

Pendant que je lis, il ouvre le second, hausse l'épaule, le roule en boule et le jette : « Ça, ça m'est égal. Maintenant, ça m'est égal. Qu'ils s'arrangent. Tout ça... »

Le Secrétaire s'en va. Nous entendons son pas qui s'éloigne, la grille qu'il referme. Mais Garine s'est ressaisi ; debout à la fenêtre, il l'appelle.

La porte encore. Le secrétaire revient. Arrivé sous la fenêtre il parle à Garine ; mais celui-ci tousse et je ne distingue pas les paroles.

Le secrétaire, de nouveau, s'en va. Garine marche de long en large, furieux maintenant.

« Qu'est-ce qu'il y a ?

— Rien ! »

Bon. Ça se voit .Il ramasse la boule de papier, la plie et la lisse de la main droite, non sans peine, à

cause de l'immobilité de son bras gauche. Puis,
tourné vers moi :

« Descendons ! »

Il part, grommelant — pour lui-même ou pour
moi ? « Un coup à faire crever dix mille bonshommes ! » Comme je ne pose plus de questions,
il se décide à ajouter, tout en descendant :

« Deux des nôtres, des agents de la propagande,
pris au moment même où ils approchaient de l'un
des puits utilisés par nos troupes, du cyanure dans
leurs poches. Agents doubles. Présence injusti-
fiable. N'ont rien raconté, rien avoué. Et Nicolaïeff me dit qu'il reprendra demain l'interrogatoire ! »

Il conduit lui-même l'auto, à toute vitesse ;
le chauffeur dormait. Il ne dit pas un mot. Sa main
droite seule tient le volant, et, par deux fois, il s'en
faut de peu que nous ne nous jetions sur les maisons. Il ralentit, et me passe le volant ; puis, la
tête immobile, enfoncée entre les épaules — les
taches de ses joues, plus creuses que jamais, apparaissent lorsque nous croisons des lumières et
disparaissent aussitôt, — il semble m'avoir oublié...

Dans le couloir de la Sûreté, je distingue en passant de grandes affiches roses, dont j'entrevoyais
les taches, tout à l'heure, dans les rues : c'est le
décret, affiché par nos soins.

Lorsque nous arrivons, précédés du son rapide
et militaire de nos talons, presque inquiétant dans
ce silence, Nicolaïeff, derrière son bureau, bon-
homme, le dos appuyé au dossier de sa chaise,
fixe ses yeux clairs de porc sur les deux prisonniers. Tous deux sont vêtus du costume de toile

bleue des ouvriers du port. L'un porte des moustaches tombantes, fines, noires : l'autre est un vieillard aux cheveux en brosse, à la tête toute ronde animée par des yeux brillants.

Je commence à connaître ces heures nocturnes de la Propagande et de la Sûreté, leur silence, l'odeur de fleurs sucrées, de boue et de pétrole de la nuit chaude, et nos visages tirés, exténués, nos paupières collées, notre dos voûté, nos lèvres molles — et, dans notre bouche, ce goût écœurant de lendemain d'ivresse...

« As-tu des nouvelles de la bataille ? demande Garine en entrant.

— Rien, ça continue...

— Et tes bonshommes ?

— Tu as vu le rapport, mon cher. Je ne sais rien de plus. Rien encore, du moins. Impossible de leur tirer un mot. Ça viendra...

— Qui s'est porté garant d'eux ?

— N 72, d'après le rapport.

— A contrôler ! Si c'est exact, N 72 doit être ramené, envoyé d'urgence au tribunal spécial, et exécuté aussitôt après la condamnation.

— Tu sais que c'est un agent de premier ordre.

Garine lève la tête.

« ... et qui m'a rendu souvent des services... Il est fidèle.

— Il n'aura plus à se donner la peine de l'être. Quant à ses services, j'en ai marre. C'est compris, n'est-ce pas ? »

L'autre sourit et incline sa tête ensommeillée, semblable au poussah de porcelaine qu'il a posé ironiquement sur son bureau.

« A ceux-ci maintenant.

Je sors mon stylo de ma poche.

« Non, inutile d'écrire, ce ne sera pas long. Et Nicolaïeff notera les réponses.

« — Qui vous a remis le poison ?

Le premier prisonnier, le plus jeune, commence une explication stupide : il était chargé de remettre ce paquet à une personne dont il ne sait pas le nom, une femme qui devait le reconnaître à son signalement, mais...

Garine comprend à peu près ; cependant je traduis, phrase à phrase. Le Chinois, comme s'il était poussé par un tic, pose sa main, à plat, sur les longs pinceaux de ses moustaches, la retire avec nervosité, voyant que son geste empêche d'entendre ; puis la remet. Nicolaïeff regarde la lampe entourée d'éphémères, fatigué, et fume. Les ventilateurs ne tournent pas ; la fumée monte, droite.

« Assez ! dit Garine.

Il porte la main à sa ceinture.

« Bon ! je l'ai encore oublié !

Sans rien ajouter, il ouvre ma gaîne de sa main libre, en tire mon revolver et le pose sur le bureau, où les angles du métal brillent.

« Dis au premier, exactement, que si, dans cinq minutes il n'a pas donné les renseignements qu'il nous doit, je lui fous une balle dans la tête, *moi*. »

Je traduis. Nicolaïeff a imperceptiblement haussé une épaule ; tous les indicateurs savent que Garine est un « grand chef » et son moyen est digne d'un enfant. Une minute... deux...

« Ah ! En voilà assez ! Qu'il réponde immédiatement !

— Tu as dit qu'il avait cinq minutes, dit Nicolaïeff, respectueux et ironique.

— Toi, fous-moi la paix, hein !

Il a pris le revolver sur le bureau. La main droite, en raison du poids de l'arme, est ferme : la gauche, qui sort de l'écharpe blanche, tremble. Une fois de plus je dis au Chinois de répondre. Il fait un geste d'impuissance.

La détonation. Le corps du Chinois ne bouge pas ; sur son visage, une expression intense de stupéfaction. Nicolaïeff a sauté et s'appuie au mur. Est-il blessé ?

Une seconde... Deux... Le Chinois s'effondre, mou, les jambes à demi-pliées. Et le sang commence à couler.

« Mais, mais, balbutie Nicolaïeff, mais voyons, Garine ! Et... et le tribunal...

— *Fous-moi la paix !*

Le ton est tel que le gros homme, aussitôt, se tait. Il ne sourit plus. Sa bouche s'est abaissée, accentuant ses bajoues. Ses grosses mains sont croisées sur sa poitrine dans un geste de vieille femme. Garine regarde le mur, devant lui ; du canon à demi-abaissé, une fumée légère, transparente, monte.

« A l'autre, maintenant. Traduis à nouveau. »

Inutile. Terrorisé, le vieillard, déjà, parle, parle, et ses petits yeux s'agitent... Nicolaïeff a saisi un crayon et prend des notes d'une main tremblante.

« Tais-toi, dit Garine en cantonais. Puis se tournant vers moi : Préviens-le, avant d'aller plus loin, que s'il raconte des blagues, ça lui portera malheur...

— Il le voit bien.

— La peine de mort se perfectionne au besoin.

— Comment veux-tu que je lui dise cela ?

— Ah ! comme tu voudras ! »

(Comme c'est facile ! enfin, il comprend, en effet...)

Tandis que le prisonnier parle, d'une voix haletante, Nicolaïeff chasse, en soufflant, les éphémères morts qui tombent sur ses notes...

L'homme a été payé par des agents de Tcheng-Tioung-Ming, cela est évident. Il a d'abord parlé rapidement, mais n'a rien dit d'essentiel ; voyant le canon du révolver abaissé il a hésité. Soudain, il se tait. Garine, à la limite de l'exaspération, le regarde.

« Et... si... si je dis tout que me donnerez...

Aussitôt, il tombe, les bras en ailerons, et va rouler à un mètre. Furieux, Garine vient de le frapper d'un coup de poing à la mâchoire ; le poing encore fermé, il fronce les sourcils, se mord les lèvres et s'assied sur le coin du bureau. « Ma blessure s'est ouverte. » Le prisonnier, par terre, fait le mort. « Demande-lui s'il a entendu parler de l'encens ! » Une fois de plus, je traduis. L'homme ouvre lentement les yeux, et, sans se relever, dit, sans s'adresser à l'un de nous, sans nous regarder :

« Ils étaient trois. Deux sont pris. L'un des deux est mort. L'autre est là. Le troisième peut être du côté du puits. »

Garine et moi regardons Nicolaïeff, qui devait remettre à demain la suite de l'interrogatoire. Il s'applique à ne manifester aucun sentiment : sa bouche, ses sourcils ne bougent pas. Mais les mus-

cles de ses joues, rapidement, se contractent et se
détendent, comme s'ils tremblaient. Il écrit, tandis
que le prisonnier précise.

Nous voilà renseignés.

— C'est tout ?

— Oui.

— Si tu n'as pas tout dit...

— J'ai tout dit.

Le prisonnier semble maintenant indifférent Il
ne peut plus rien faire pour se défendre. Que la
fatalité dispose de lui...

Nicolaïeff sonne, nous montre un papier, puis
le donne au planton.

« Un cycliste au bureau spécial du Télégraphe.
Immédiatement. »

Il se retourne vers nous :

« Dans ces conditions-là... dans ces conditions-
là... Il y en a peut-être d'autres, tout de même...
Alors... Garine... tu ne penses pas... qu'il faudrait
essayer un peu... à tout hasard ?... »

Pour faire excuser sa terrible négligence, il est
prêt, lui qui voulait faire remettre à demain la
suite de cet interrogatoire, à faire torturer cet
homme « à tout hasard »...

— « On n'en sort pas », murmure Garine entre
ses dents.

Puis, à haute voix :

« Pour qu'il raconte des blagues et nous lance sur
de fausses pistes ?... Il ne peut pas avoir de renseignements généraux. Dans le travail des puits,
les agents ne sont presque jamais plus de trois.
Trois, tu entends ? Pas deux ! »

A son tour, il sonne (quatre fois). Deux soldats

entrent et emmènent le prisonnier. Nicolaïeff, qui
n'a pas répondu, écarte doucement de la main les
éphémères qui tombent toujours sur le bureau,
comme s'il lissait son papier, avec un geste d'enfant
sage.

Nous rencontrons, dans le couloir, un planton
du Commissariat de la Guerre, qui apporte une
dépêche. Garine la prend et l'ouvre : Les troupes
de Tcheng commencent à plier.

L'escalier de la maison de Garine, noir : la lampe
qui l'éclairait est brisée. La nuit continue, dehors
et dans mes nerfs... Mes paupières sont brûlantes,
mais je n'ai pas sommeil. De légers frissons parcourent mon corps, comme si je commençais à être
ivre ; tandis que je pose lourdement mes pieds,
cherchant de l'orteil chaque marche, mes paupières
se ferment et je vois, avec un mélange de trouble et
de bizarre lucidité, des images déformées : les deux
prisonniers, le prisonnier mort (par terre), Nicolaïeff, le mariage grotesque dont parlait Garine, les
raies des lumières de la rue, le visage déchiré de
Klein, la tache des affiches roses... Je tressaille,
comme si je m'éveillais en sursaut, lorsque j'entends la voix de Garine :

« Je ne peux pas m'habituer à cette obscurité ;
elle me donne toujours l'impression d'être
aveugle... »

Mais voici la lumière. Nous sommes de nouveau
dans la petite pièce ; les deux valises sont toujours là.

— C'est tout ce que tu emportes ?

— Pour quelques mois, c'est bien suffisant...

A peine a-t-il écouté ce que je lui ai dit. Il prête l'oreille à une rumeur très faible qui emplit toute la maison, et qui m'intriguait avant notre départ.

« Entends-tu ?

— Oui... J'entendais déjà ce bruit avant notre départ...

— D'où crois-tu qu'il vienne ?

— Écoute...

Il y a dans cette rumeur étouffée, lointaine, mécanique, quelque chose de mystérieux. C'est un grincement assourdi comme celui des rongeurs, mais régulier, et d'où sortent par intermittences, bulles dans une eau trouble, des sons semblables aux craquements du bois, qui se prolongent un instant ainsi que tous les sons dans l'obscurité et se perdent dans ce grincement constant qui semble venir à la fois de la cave et de l'horizon. Garine s'est arrêté, inquiet, respirant à peine, les épaules serrées, s'efforçant de faire le moins de bruit possible. Un craquement de ses chaussures éteint brutalement sons et rumeurs qui, après quelques secondes, reparaissent comme une lueur très faible, montent et retrouvent leur intensité lointaine et inexplicable. Enfin, son corps se détend ; il fait un geste d'indifférence, et se couche sur le lit de bois :

« En attendant, veux-tu du café ?

— Non, merci Tu ferais mieux de prendre de la quinine et de changer ton pansement.

— Ça viendra en son temps ..

Il regarde ses valises :

« Trois mois, six peut-être ?...

Toujours soucieux, il mord l'intérieur de ses joues.

« Enfin, quoi, ce ne serait pas non plus très intelligent de rester ici, faute de partir à temps... »

En disant : rester, il n'a pas voulu dire : demeurer, mais : mourir.

« Mon vieil ami Nicolaïeff insinue qu'il est déjà bien tard... »

Jusqu'ici, il a parlé pour lui-même. Le son de sa voix change ; il hausse une fois de plus l'épaule droite.

— Quel abruti !... Si je n'étais pas retourné là-bas, cette nuit... Par qui Borodine pourra-t-il me remplacer ? Pour le service de la Propagande aux sections, par Chen, mais pour les autres ? Avec quelques gaillards comme Nicolaïeff, — discipliné, très discipliné — ça pourrait mal finir... Klein est mort... Dans quel état trouverai-je tout cela, quand je reviendrai ?... Il suffit d'une gaffe de la Sûreté pour me faire rentrer dans cette vie de Canton comme dans mon veston, et pourtant, en ce moment, il me semble que je suis déjà parti. Allons ! si je claquais en mer, on pourrait coller sur le sac une belle étiquette... »

Ses lèvres sont plus minces encore qu'elles ne l'étaient tout à l'heure, et ses yeux sont fermés. L'ombre de son nez, qui, ainsi, semble très proéminent, se mêle au cerne de son œil gauche. Il est laid, de la laideur inquiétante et aiguë des morts.

« Dire que lorsque je suis arrivé ici, au temps de Lambert, Canton était une république de comédie !

Et, aujourd'hui, l'Angleterre ! Vaincre une ville. Abattre une ville : la ville est ce qu'il y a de plus social au monde, l'emblème même de la société : Il y en a une au moins que les pouilleux cantonais sont en train de mettre dans un bel état ! Ce décret.. L'effort de tous les hommes qui ont fait de Hong-kong un poing fermé est enfin... » Il abaisse le pied, et se penche en avant, comme s'il écrasait quelque chose, lentement, lourdement. En même temps qu'il redresse le buste, il sort de sa poche un petit miroir rond à dos de celluloïd et regarde son visage (c'est la première fois).

« Je crois qu'il était temps...

« Ce serait vraiment trop bête de mourir comme un vague colon. Si les hommes comme moi ne sont pas assassinés, qui le sera ? »

Quelque chose, dans tout ce qu'il dit, me met mal à l'aise, m'inquiète... Il reprend :

« Que diable vais-je pouvoir faire en Europe ? Sans doute irai-je à Moscou... Je me méfie des méthodes de l'Internationale, mais il faut voir... Dans six jours, Shanghaï ; ensuite, le bateau norvégien, et l'impression de descendre dans la loge du concierge. Je serai suivi par deux agents au moins, ce qui est toujours honorable. Pourvu que je ne retrouve pas en morceaux tout ce que j'ai fait, quand je reviendrai ! Borodine a beaucoup de force, mais aussi parfois beaucoup de maladresse... Ah ! on ne va jamais où l'on voudrait aller...

— Où diable voudrais-tu donc aller ?

— En Angleterre. Maintenant je sais ce qu'est l'Empire. Une tenace, une constante violence. Diriger. Déterminer. Contraindre. La vie est là... »

Et je comprends soudain pourquoi ses paroles me déconcertent : ce n'est pas moi qu'il veut convaincre. Il ne croit pas ce qu'il dit et il s'efforce, de tous ses nerfs irrités, de se croire, de se persuader... Sait-il qu'il est perdu, craint-il de l'être, ne sait-il rien ? Devant la mort certaine, une exaspération désolée naît en moi de ses affirmations, de ses espoirs. J'ai envie de lui dire : « Assez, assez ! Tu vas mourir. » Une tentation furieuse monte, que suffisent pourtant à refouler sa présence et une impossibilité physique. La maladie a creusé à tel point son visage que je n'ai besoin d'aucun effort pour l'imaginer mort. Et malgré moi, j'ai la sensation que si je parlais de la mort j'imposerais à son regard cette image, ces traits plus tirés encore, dont je ne puis me délivrer. Il me semble aussi qu'il y aurait dans mes paroles quelque chose de dangereux, comme si sa mort, connue de lui, devenait par moi certaine... Lui, depuis un moment, s'est tu. Et, dans ce nouveau silence, nous retrouvons le bruit singulier qui nous intriguait tout à l'heure. Ce n'est plus une rumeur, mais un bruit fait de secousses successives, très éloignées ou très assourdies, un bruit de rêve ; il semble que l'on frappe le sol, au loin, avec de lourds objets entourés de feutre. Et les sons plus clairs, analogues tout à l'heure à ceux des bois qui craquent, deviennent métalliques et font songer au grondement confus d'une gorge, dominé par les coups musicaux des marteaux...

De nouveau, à ces bruits entremêlés se joint celui des pneus rebondissant sur le gravier. Un cadet monte, précédé d'un boy. Il apporte la réponse de l'officier télégraphiste. Le bruit, quoique lointain, emplit la chambre...

— Entends-tu ? demande Garine au boy.

— Oui, monsieur le Commissaire.

— Qu'est-ce que c'est ?

— Sais pas, monsieur le Commissaire.

Le cadet hoche la tête.

— C'est l'armée, camarade Garine...

Garine lève les yeux.

« — L'arrière-garde de l'armée rouge qui monte en ligne... »

Garine respire profondément, puis lit les dépêches et me les tend :

Troisième agent pris. Porteur huit cents grammes cyanure.

Débâcle ennemi. Plusieurs régiments préparés par Propagande passés à nous. Approvisionnements et artillerie entre nos mains. Quartier-général désorganisé. Cavalerie poursuit Tcheng en fuite.

Il signe l'accusé de réception, et le rend au cadet qui s'en va, toujours précédé du boy.

« Il ne verra plus ma signature, pendant quelque temps... Les troupes de Tcheng en charpie... Avant un an, Shanghaï... »

Le grondement affaibli des troupes s'approche ou s'éloigne, avec le vent chaud. Nous reconnaissons maintenant le grincement des tracteurs, l'ébranlement confus de la terre sous le pas martelé des hommes, et, par instants, dans une étouffante bouffée, les sabots de chevaux, l'écho des essieux de canons qui sonnent... Une exaltation confuse pénètre en lui avec ce lointain tumulte. De la joie ?

« Je ne te verrai guère, demain matin, parmi tous ces imbéciles qui viendront m'accompagner... »

Lentement, mordant sa lèvre inférieure, il sort de l'écharpe son bras blessé, et le lève. Nous nous étreignons. Une tristesse inconnue naît en moi, profonde, désespérée, appelée par tout ce qu'il y a là de vain, par la mort présente... Lorsque la lumière, de nouveau, frappe nos visages, il me regarde. Je cherche dans ses yeux la joie que j'ai cru voir ; mais il n'y a rien de semblable, rien qu'une dure et pourtant fraternelle gravité.

TABLE

—

———

CET OUVRAGE A PARU PRÉCÉDEMMENT DANS LES « CAHIERS
VERTS » PUBLIÉS A LA LIBRAIRIE BERNARD GRASSET,
SOUS LA DIRECTION DE DANIEL HALÉVY ; LE TIRAGE A
ÉTÉ DE TROIS MILLE HUIT CENT QUATRE-VINGT-DEUX
EXEMPLAIRES, DONT : SOIXANTE-DEUX EXEMPLAIRES SUR
MADAGASCAR, NUMÉROTÉS MADAGASCAR 1 à 50 ET I à
XII ; CENT SOIXANTE-DIX EXEMPLAIRES SUR VÉLIN PUR
FIL LAFUMA, NUMÉROTÉS VÉLIN PUR FIL 1 à 150 ET I à
XX ; TROIS MILLE SIX CENT CINQUANTE EXEMPLAIRES SUR
ALFA SATINÉ, NUMÉROTÉS ALFA 1 à 3.300 ET EXEM-
PLAIRES DE PRESSE I à CCCL ; ET EN OUTRE DOUZE EXEM-
PLAIRES SUR VÉLIN PUR FIL CRÈME LAFUMA, NUMÉROTÉS
VÉLIN PUR FIL CRÈME L. H. C. I à L. H. C. XII.

EXCEPTIONNELLEMENT IL A ÉTÉ TIRÉ DE CET OUVRAGE :
CINQUANTE-CINQ EXEMPLAIRES SUR VÉLIN D'ARCHES,
NUMÉROTÉS ARCHES 1 à 50 ET I à V ; TREIZE EXEM-
PLAIRES SUR PAPIER OR TURNER, NUMÉROTÉS OR TURNER
1 à 10 ET I à III ; ET DIX-SEPT EXEMPLAIRES SUR HOL-
LANDE, TIRÉS SPÉCIALEMENT POUR LES « BIBLIOPHILES
DU NORD » ET NUMÉROTÉS DE 1 à 15 ET I et II.

LA PRÉSENTE ÉDITION (6e TIRAGE) A ÉTÉ
ACHEVÉE D'IMPRIMER LE VINGT-TROIS MARS
MIL NEUF CENT QUARANTE-CINQ, SUR
LES PRESSES DE L'IMPRIMERIE MODERNE,
177, ROUTE DE CHATILLON, A MONTROUGE.
(C. O. : 31.2348)

Dépôt léga   3e trimestre 1928
Nº d'édition : 98 — Nº d'impression 115